Rompiendo todas las normas

Brenda Jackson

Editado por Harlequin Ibérica.
Una división de HarperCollins Ibérica, S.A.
Núñez de Balboa, 56
28001 Madrid

I.S.B.N.: 978-84-687-8267-6
Depósito legal: M-13462-2016
Impresión en CPI (Barcelona)
Fecha impresión para Argentina: 2.1.17
Distribuidor exclusivo para España: LOGISTA
Distribuidores para México: CODIPLYRSA y Despacho Flores
Distribuidores para Argentina: Interior, DGP, S.A. Alvarado 2118.
Cap. Fed./Buenos Aires y Gran Buenos Aires, VACCARO HNOS.

Prólogo

Hugh Coker cerró su carpeta y levantó la vista hacia los cinco pares de ojos clavados en él.

—Así están las cosas. Me reuní con ese detective privado, Rico Clairbone, que está convencido de que sois descendientes de un tal Raphael Westmoreland. Leí el informe que ha elaborado y, aunque sus explicaciones suenan bastante rebuscadas, no puedo decir lo mismo de las fotografías que he visto. Bart, cualquiera de tus hijos podría ser el hermano gemelo de un Westmoreland. El parecido es asombroso. Tengo aquí las fotos para que les echéis un vistazo.

—No quiero ver ninguna fotografía —dijo Bart Outlaw con brusquedad, levantándose de la silla—. Que esa familia guarde un parecido con nosotros no quiere decir que estemos emparentados. Nuestro apellido es Outlaw, no Westmoreland. Y no me trago esa historia de un accidente de tren de hace sesenta años y una moribunda que le entregó su bebé a mi abuela. ¡Es la idea más absurda que he oído en mi vida!

Se giró hacia sus cuatro hijos.

—Outlaw Freight Lines es una empresa multimillonaria y hay mucha gente dispuesta a inventarse un parentesco con nosotros con tal de apropiarse de lo que tanto nos ha costado conseguir.

Garth Outlaw se reclinó en su silla.

—Discúlpame si me equivoco, papá, pero Hugh ha dicho que los Westmoreland son gente acomodada, y creo que todos hemos oído hablar de Blue Ridge Land Management: está en la lista de las quinientas compañías con mayores beneficios del país. Yo no sé lo que pensaréis los demás, pero por lo que a mí respecta, Thorn Westmoreland puede decir que es primo mío cuando le apetezca.

Bart frunció el ceño.

—¿Qué importa que su negocio haya triunfado y que uno de ellos sea famoso? —respondió con voz cortante—. No necesitamos ir por ahí buscando nuevos parientes.

Maverick, el menor de los hijos de Bart, esbozó una sonrisa.

—Han sido ellos los que han venido a buscarnos, papá.

Bart frunció el ceño con más fuerza.

—No importa —miró a Hugh—. Mándales una carta y, educadamente, diles que no nos tragamos su historia y que no queremos que nos vuelvan a molestar con este asunto. Eso debería ser suficiente —con la seguridad de que sus órdenes serían obedecidas, Bart salió de la sala de reuniones.

Sloan Outlaw se quedó mirando la puerta que acababa de cerrarse.

—¿Vamos a hacer lo que dice?

–¿Alguna vez lo hacemos? –preguntó su hermano Cash, y sonrió mientras miraba cómo Hugh guardaba sus papeles en un maletín.

–Déjanos esa carpeta, Hugh –pidió Garth al abogado mientras se frotaba la nuca–. El viejo se olvida de que ya no es el que manda. ¿Se jubiló hace unos meses o son imaginaciones mías?

Sloan se puso de pie.

–No, no son imaginaciones tuyas. Se retiró, pero solo después de que la junta directiva amenazara con destituirlo. En cualquier caso, ¿qué hace aquí? ¿Quién lo ha invitado?

–Nadie. Hoy es miércoles y los miércoles va a almorzar con Charm –informó Maverick.

Garth arqueó las cejas.

–¿Y dónde está Charm? ¿Por qué no ha venido a la reunión?

–Dijo que tenía cosas más importante que hacer –comentó Sloan.

–¿Qué?

–Ir de compras.

Cash sonrió.

–No me sorprende. ¿Qué vamos a hacer entonces, Garth? Tú eres el que decide, no el viejo.

Garth tiró un par de clips sobre la mesa.

–No os lo he comentado nunca, pero una vez me confundieron con uno de los Westmoreland.

Maverick se inclinó hacia delante.

–¿A ti? ¿Cuándo?

–El año pasado, en Roma. Una chica, muy guapa

por cierto, se dirigió a mí creyendo que yo era un tal Riley Westmoreland.

–Y es normal que lo pensara –intervino Hugh–. Échale un vistazo a esto –abrió la carpeta que había dejado antes sobre la mesa y hojeó los papeles hasta que encontró una fotografía concreta. La sacó y la colocó en el centro del tablero–. Este es Riley Westmoreland.

–Vaya… –se oyó decir a coro, y luego siguió un silencio.

–Echad un vistazo al resto. Se ve que son genes dominantes. Se lo he dicho antes a Bart, cada uno de vosotros tiene un gemelo entre los Westmoreland –insistió Hugh–. Es…

–Muy raro –dijo Cash meneando la cabeza.

–Realmente asombroso –añadió Sloan–. Después de ver esta foto, la historia de los Westmoreland resulta creíble.

–¿Y qué importa si somos parientes de esos Westmoreland?, ¿cuál es el problema? –quiso saber Maverick.

–Ninguno, que yo sepa –respondió Sloan.

–En ese caso, ¿por qué al viejo le molesta?

–Papá es desconfiado por naturaleza –le explicó Cash a Maverick sin dejar de mirar las fotografías.

–Ha tenido cinco hijos y una hija con seis mujeres distintas. Si quieres saber mi opinión, yo creo que más bien ha sido demasiado confiado en la vida.

–Tal vez haya aprendido la lección, teniendo en cuenta que algunas de nuestras madres, y no voy a decir nombres, resultaron ser muy codiciosas a la hora del divorcio –Sloan sonrió.

Hugh asintió con la cabeza. Le resultaba asombroso lo bien que se llevaban los hermanos, teniendo en cuenta que cada uno era de una madre distinta. Bart se las había arreglado para conseguir la custodia de sus hijos cuando estos cumplían dos años y los había criado juntos.

Con la excepción de Charm, que no había aparecido hasta cumplidos los quince. Su madre era la única con la que Bart no se había casado, y la única a la que había querido de verdad.

–Soy tu abogado, ¿qué quieres que haga? –preguntó Hugh–. ¿Mando esa carta que Bart ha sugerido?

Garth lo miró a los ojos.

–No. Prefiero ser más diplomático. Yo creo que a papá le molesta que esto haya surgido justo ahora que Jess se presenta a senador. Todos sabéis lo ilusionado que está papá. Su sueño es que uno de nosotros se dedique a la política. ¿Qué pasaría si esto fuera un intento de frustrar esa posibilidad? Mejor ser precavidos. Voy a mandar a Walker a que investigue a esos Westmoreland. Confío en él, sabe juzgar a la gente.

–¿Pero irá? –quiso saber Sloan–. Aparte de visitarnos a nosotros aquí en Fairbanks, dudo que Walker haya salido de su rancho en los últimos diez años.

Garth respiró hondo.

–Lo hará, si yo se lo pido.

Capítulo Uno

Dos semanas después

–¿Por qué mandan a un representante en vez de venir en persona a conocernos?

Dillon Westmoreland miró a su prima Bailey, que se hallaba al otro lado de la habitación. Se figuraba que sería la que protestaría. Había convocado a sus seis hermanos y a sus ocho primos para informarles de la llamada de teléfono que había recibido el día anterior. El único que faltaba era su hermano menor, Bane, destinado en una misión con los comandos de operaciones especiales del ejército.

–Me imagino que quieren jugar sobre seguro y por eso mandan a alguien ajeno a la familia. En cierto modo, entiendo que lo hagan. No tienen ninguna prueba de que lo que decimos sea verdad.

–¿Y por qué íbamos a decir que somos parientes si no fuera verdad? –insistió Bailey–. Cuando nuestro primo James se puso en contacto contigo hace unos años y te anunció que estábamos emparentados, no recuerdo que tú lo pusieras en duda.

Dillon sonrió.

–Bueno, James no me dio la oportunidad de hacerlo. Se presentó un día en nuestra oficina de Blue Ridge acompañado de sus hijos y sobrinos y me dijo que éramos familia. Cuando vi que Dare era igualito que yo, me quedé sin argumentos.

–Mmm, tal vez nosotros tendríamos que haber hecho lo mismo –Bailey colocó el dedo índice sobre la barbilla y se dio unos golpecitos–. «¡Sorpresa!».

–A Rico no le parecía buena idea. Al parecer, los Outlaw están muy unidos y no les gusta que los desconocidos entren en su ámbito privado –dijo Megan Westmoreland Clairbone. Rico, su marido, era detective privado y los Westmoreland le habían encargado que encontrara a los miembros de su numerosa familia.

–Y yo estuve de acuerdo con Rico –confirmó Dillon–. Reconocer que uno tiene parientes nuevos no es fácil. Y los nuestros se apellidan Outlaw. No tenían ni idea de que estuviéramos emparentados hasta que Rico dejó caer la bomba. Si fuera a la inversa y apareciera alguien afirmando que somos familia, yo también me mostraría precavido.

–Bueno, pues no me gusta –insistió Bailey, y miró a sus hermanos y primos a los ojos.

–Ya nos hemos dado cuenta, Bailey –dijo Ramsey Westmoreland, su hermano mayor, y luego miró a Dillon–. ¿Cuándo va a venir ese representante?

–Se llama Walker Rafferty y llega mañana. He pensado que es un buen momento, dado que estaremos todos aquí para la boda de Aidan y Jillian este fin de semana. Los Westmoreland de Atlanta también vendrán: así podrá conocernos a todos.

–¿Y qué es lo que quiere averiguar sobre nosotros? –quiso saber Bailey.

–Que Bane, Adrian, Aidan y tú ya no sois unos gamberros –bromeó Stern Westmoreland, y sonrió.

–No la provoques, Stern –advirtió Dillon, meneando la cabeza–. Rafferty seguramente quiere conocernos para luego contarles que somos gente normal. No te lo tomes como algo personal, Bailey. Ya te lo he dicho: solo quieren ser precavidos –se interrumpió como si de repente se le hubiera ocurrido algo–. ¿Bailey?

–¿Qué?

–Como tú eres la más desconfiada ante la visita del señor Rafferty, quiero que seas tú quien lo recoja en el aeropuerto.

–¿Yo?

–Sí, tú. Y espero que le causes buena impresión. Recuerda que vas en representación de toda la familia.

–¿Bailey va a representar a toda la familia? ¿No te perturba un poco la idea, Dillon? –intervino Canyon Westmoreland, y soltó una risita–. No se trata de asustarlo y que se vaya corriendo. Como no le guste, Bailey lo va a acribillar.

–Déjalo, Canyon. Bailey sabe comportarse y causar buena impresión –afirmó Dillon, e hizo caso omiso de las miradas escépticas de sus familiares–. Lo hará bien.

–Gracias por tu confianza, Dillon.

–No me hagas quedar mal, Bailey.

***

«Bailey sabe comportarse y causar buena impresión».

Las palabras resonaban en la mente de Bailey cuando esta irrumpió en el aeropuerto con quince minutos de retraso. Y no podía echarle la culpa al tráfico.

Esa mañana, su jefa la había convocado y le había anunciado que acababa de ascenderla a coordinadora de reportajes. Aquello había que celebrarlo, así que corrió hasta su mesa y telefoneó a su mejor amiga, Josette Carter. Como era previsible, Josette insistió en que almorzaran juntas. Y por eso Bailey se encontraba en aquella situación: llegaba con retraso para cumplir el único encargo que Dillon le había hecho.

No, se negaba a aceptar que hubiera empezado con mal pie... aunque así fuera. No le importaría que el vuelo del señor Rafferty tuviera retraso; en realidad, sería una bendición.

Se encaminó hacia las cintas de equipaje y se detuvo para mirar la pantalla de información. El avión de Rafferty había aterrizado en hora. Menuda suerte la suya.

Al llegar a la cinta asignada al vuelo, Bailey echó un vistazo alrededor. No tenía ni idea de qué aspecto tenía aquel hombre. Lo había buscado en Internet la noche anterior pero no había encontrado nada. Josette le había sugerido que llevara un cartel con

11

su nombre, pero ella lo había descartado. En aquel momento, teniendo en cuenta que el aeropuerto se hallaba abarrotado de gente, debía reconocer que habría sido una buena idea.

Examinó a las personas que estaban retirando los equipajes de la cinta. Se figuraba que su hombre rondaría los cuarenta y muchos. Un cincuentón con barriga que la observaba con mirada ansiosa debía de ser su hombre. Se dirigía hacia él cuando un murmullo áspero la hizo detenerse.

—Creo que es a mí a quien busca, señorita Westmoreland.

Bailey se giró y su mirada se encontró con un hombre que ocupó todo su campo de visión. Era alto, pero no era esa la razón de que sus neuronas se hubieran reblandecido de repente; estaba acostumbrada a los hombres altos. Sus hermanos y sus primos lo eran. Se trataba de los rasgos de aquel hombre. Demasiado guapo para describirlo con palabras. Supuso que eran sus ojos lo que la había dejado muda. Eran tan oscuros que parecían de color azul noche. Solo con mirarlos el pulso se le disparó hasta un punto que empezó a sentir escalofríos.

Y además estaba su tono de piel, un caoba claro. Tenía la mandíbula firme y unos labios seductores. Llevaba el pelo bastante corto y aquello le daba un aspecto sexy y fuerte.

—Y usted es… —dijo haciendo gala de su ingenio.

Él le ofreció la mano.

—Walker Rafferty.

Ella se la estrechó. Era una mano firme, llena de autoridad. Justo lo que esperaba. Con lo que no había contado era con la calidez y la descarga de energía que experimentó su cuerpo. Se apresuro a retirar la suya.

—Bienvenido a Denver, señor Rafferty.

—Gracias. Prefiero que me llame Walker.

Ella estaba intentando no dejarse seducir por aquella voz ronca.

—Muy bien, Walker. Yo soy…

—Bailey Westmoreland. Ya lo sé, te he visto en Facebook.

—¿En serio? Yo también te busqué a ti, pero no te encontré.

—Ni me encontrarás. Debo de ser uno de los pocos que no han caído en la tentación.

Bailey se preguntó en qué otras tentaciones no habría caído, pero decidió guardar para sí su curiosidad.

—Si ya tienes todo tu equipaje, podemos irnos. He aparcado justo fuera de la terminal.

—Te sigo.

Ella comenzó a andar y él la siguió.

El señor Rafferty no era como se lo esperaba. Y lo que tampoco esperaba era la atracción que sentía por él. En general, prefería a los hombres bien afeitados; sin embargo, la barba bien recortada de Walker Rafferty la atraía.

—Así que eres amigo de los Outlaw –empezó a decir ella mientras caminaban.

–Sí. Garth Outlaw y yo somos íntimos amigos desde pequeños. Mis padres me decían que nuestra amistad viene de la época en que ambos llevábamos pañales.

–¿En serio? ¿Y cuánto hace de eso?

–Unos treinta y cinco años.

Bailey asintió con la cabeza. Eso quería decir que tenía ocho años más que ella. O siete, puesto que su cumpleaños era dentro de pocos meses.

–Eres igual que en la foto.

Ella lo miró.

–¿Qué foto?

–La de Facebook.

La cambiaba a menudo con el fin de actualizarla.

–Bueno, de eso se trata –salieron de la terminal. Ella no pudo contenerse–. Así que estás aquí para espiarnos.

Él se detuvo y ella lo imitó.

–No, estoy aquí para conoceros.

–Lo mismo da.

Él negó con la cabeza.

–No, no da lo mismo.

Ella frunció el ceño.

–En cualquiera de los dos casos, estás aquí para informar a los Outlaw sobre nosotros, ¿no es así?

–Sí, así es.

El ceño de Bailey se hizo más profundo.

–Parecen bastante desconfiados.

–Y lo son. Pero solo con verte se han despejado todas mis dudas.

Ella arqueó una ceja.

—¿Por qué?

—Te pareces mucho a Charm, la hermana de Garth. Bailey asintió.

—¿Cuántos años tiene Charm?

—Veintitrés.

—Entonces es ella la que se parece a mí, yo tengo veintiséis —le informó, y reanudó la marcha.

Walker Rafferty sujetaba con fuerza el asa de su maleta mientras seguía a Bailey Westmoreland hacia el aparcamiento. Era una mujer muy atractiva. Sabía que era guapa porque la había visto en foto, pero no esperaba que su belleza despertara en él tantas emociones. Hacía mucho tiempo, años, que una mujer no le resultaba tan atractiva. Y olía de maravilla, su perfumea tenía un toque seductor.

—¿Tú también vives en Fairbanks?

Él la miró mientras continuaban andando. Tenía una piel perfecta, de un color tostado, y todos sus rasgos, incluyendo unos labios generosos, atrapaban su atención. El pelo largo y castaño le caía por los hombros y hacía parecer sus ojos más oscuros aún.

—No, vivo en la isla de Kodiak. Está a una hora de Fairbanks en avión.

Ella arqueó las cejas.

—¿La isla de Kodiak? Nunca he oído hablar de ese sitio.

Walker sonrió.

–Como la mayoría de la gente, aunque se trata de la segunda isla más grande de los Estados Unidos. Cuando se habla de Alaska, uno enseguida piensa en Anchorage y en Fairbanks. Kodiak es mucho más extensa que esos dos municipios juntos. Lo único es que allí viven más osos que gente.

Por la expresión de Bailey, se dio cuenta de que creía que estaba bromeando.

–En serio, debes creerme –añadió.

Ella asintió con la cabeza, pero él tenía la sensación de que no se lo creía.

–¿Cómo hace la gente para viajar al continente?

–La mayoría usa el transbordador, pero yo prefiero ir por el aire. Tengo una avioneta.

Bailey arqueó una ceja.

–¿De verdad?

–Sí.

No había necesidad de explicarle que había aprendido a pilotar en el ejército. Ni que Garth había sido su compañero de fatigas también en esa época. Lo que le había contado antes era cierto. Garth y él eran amigos desde la época en que ambos usaban pañales, y no solo habían ido juntos a la escuela, sino que también habían sido compañeros en la Universidad de Alaska antes de su paso por el ejército. Lo único que no habían hecho juntos era quedarse a vivir en California una vez que abandonaron el ejército. Garth había intentado convencerle de que no lo hiciera, pero por desgracia él no le había hecho caso.

Hacía ya casi diez años que había regresado a

Alaska, y se había jurado no volver a marcharse. Solo por Garth había aceptado salir de la isla. Faltaba poco para que fuera noviembre, el mes del cumpleaños de su hijo. Si estuviera vivo, cumpliría once años. Pensar en Connor le producía un dolor agudo, siempre era igual en aquella época del año.

Siguió caminando al lado de Bailey. No solo era guapa, sino que tenía un cuerpo estupendo. En vaqueros, con aquellas botas y la chaqueta de cuero entallada tenía un aspecto muy atractivo.

Decidió dejar de ocuparse de ella y empezó a fijarse en el tiempo. Comparado con Alaska en aquella época del año, Denver resultaba agradable. Demasiado agradable. Esperaba que la semana que iba a pasar allí no lo malacostumbrara.

–¿Nieva mucho por aquí? –preguntó para que no decayera la conversación. Había demasiado silencio, y temía que su mente empezara a ocuparse otra vez de lo guapa que era su acompañante.

–Sí, normalmente bastante en esta época del año, pero lo peor es en febrero. Entonces casi todo cierra. Aunque apuesto a que aquí no nieva tanto como en Alaska.

Él sonrió.

–Y tienes razón. Allí los días de invierno son extremadamente fríos. Te acostumbras a tener más días de nieve al año que jornadas sin ella. Y hay que estar preparado.

–¿Y a qué te dedicas en la isla de Kodiak?

Habían llegado a la camioneta de Bailey. Era el

vehículo apropiado para ella. Aunque era muy femenina, su personalidad era todo lo contrario del estereotipo de mujer indefensa. Tenía la sensación de que Bailey Westmoreland podría manejar cualquier cosa.

Ella estaba esperando una respuesta.

—Soy propietario de un rancho: Hemlock Row. Me dedico a la cría de ganado.

—¿Vacas?

—No, búfalos. Saben arreglárselas con los osos.

—He comido búfalo algunas veces. Está rico.

—Los búfalos de Hemlock Row son de la mejor calidad —afirmó, y no le importaba si parecía que estaba presumiendo.

Tenía todo el derecho a hacerlo. Su familia se dedicaba a la cría de ganado desde hacía años, aunque los osos habían estado a punto de arruinar el negocio. Tras la muerte de sus padres, él se había negado a vender y permitir que Hemlock Row se convirtiera en una posada para cazadores o en una piscifactoría.

—Entonces tendrás que mandarme un poco para que pruebe.

—Quizá un día vengas por allí, a conocer la zona.

—Lo dudo. Casi nunca salgo de Denver —informó, y desbloqueó el seguro de la puerta de Walker.

—¿Por qué?

—Porque aquí tengo todo lo que necesito. Algunas veces he ido a visitar a familiares en Carolina del Norte, Montana y Atlanta, y también he estado en el Medio Oeste una vez, para ver a mi prima Delaney.

—Es la que está casada con un jeque, ¿no? —preguntó Walker al tiempo que abría la puerta de la camioneta.

—Jamal era un jeque, pero ahora es el rey de Tehran. Está claro que has hecho averiguaciones sobre los Westmoreland.

Él le sostuvo la mirada por encima del techo de la camioneta.

—¿Te molesta que haya venido, Bailey?

—¿Importaría si así fuera?

—Seguramente no, pero quiero saber lo que piensas del tema.

Vio que ella se mordisqueaba el labio superior, como si estuviera reflexionando. No podía evitar mirar su boca y decidió que, definitivamente, sus labios eran sensuales.

—Me molesta que los Outlaw crean que mentimos, que decimos que somos parientes sin serlo.

—Tienes que entender su postura. La historia de una mujer moribunda que entrega a su hijo antes de morir en un accidente de tren suena un poco rara.

—Por muy rara que suene, eso fue lo que sucedió. Además, con una prueba de ADN todo quedaría solucionado. No es tan difícil.

—No creo que haga falta. He visto fotos de tus hermanos y de tus primos, y los Outlaw también. El parecido es innegable. Los Westmoreland y los Outlaw se parecen demasiado como para no estar emparentados.

—En ese caso, ¿cuál es el problema? ¿Y por qué

19

estás tú aquí? Si los Outlaw reconocen que somos parientes pero no quieren tener ningún trato con nosotros, no pasa nada.

A Walker le gustaba su habilidad para decir lo que pensaba.

—No todos piensan así, Bailey. Solo Bart.

—¿Quién es Bart? —preguntó, y dejó de mirar a Walker para meterse en la camioneta.

—Bart es su padre —respondió, y entró a su vez en el vehículo—. El padre de Bart sería el bebé que aquella mujer entregó a su abuela, Amelia Outlaw.

—¿Y Amelia nunca le contó a nadie la verdad? —preguntó Bailey mientras se ponía el cinturón de seguridad.

Walker se fijó en lo estrecha que era su cintura y luego la imitó mientras pensaba que la camioneta olía como ella.

—Está claro que no se lo dijo a nadie.

—¿Y por qué?

—No sería la primera persona que oculta una adopción, si fue eso lo que sucedió. Por lo que cuenta Rico Clairbone, Clarice sabía que se estaba muriendo y entregó su bebé a Amelia, que había perdido a su marido en el mismo accidente. Tal vez Amelia quiso dejar atrás su dolor y empezar una nueva vida con su hijo adoptivo.

Cuando salieron del aparcamiento, él decidió cambiar de tema.

—¿A qué te dedicas?

Ella le lanzó una mirada.

–¿No lo sabes?

–No estaba en Facebook.

Bailey sonrió.

–No lo cuento todo en la red. Y respondiendo a tu pregunta, trabajo en la revista de mi cuñada, *Simply Irresistible.* ¿Te suena?

–No. ¿Qué tipo de revista es?

–Una publicación para mujeres emprendedoras. Tiene secciones de salud, belleza, moda y, por supuesto, hombres.

Bailey detuvo la camioneta en un stop y él la miró a los ojos.

–¿Por qué «por supuesto, hombres»?

–Porque los hombres sois muy interesantes.

–¿En serio?

–En realidad, no. Pero como algunas mujeres lo creen, publicamos muchos artículos sobre el género masculino.

Al parecer, ella quería que él se interesara por el contenido de aquellos artículos, pero Walker no estaba dispuesto a caer en la trampa.

–¿Y cuál es tu función en la revista?

–Desde hoy, soy coordinadora de reportajes. Me acaban de ascender.

–Enhorabuena.

–Gracias.

Los labios de Bailey se curvaron en una sonrisa. Eran unos labios dulces de ver y seguramente serían también dulces de besar.

–Es raro –dijo Walker.

–¿Qué es lo que te parece raro?

–Que tu familia sea propietaria de una compañía que vale mil millones de dólares y que no trabajes ahí.

Bailey apartó la vista. ¿Sería aquello una especie de interrogatorio? Tal vez sus respuestas fueran luego sometidas a escrutinio por parte de los Outlaw.

Las preguntas de Walker confirmaban lo que ella le había dicho a Dillon. Esos Outlaw eran demasiado paranoicos para su gusto. Por lo que a ella respectaba, fueran o no parientes, se habían pasado de la raya al enviar a Walker Rafferty.

Sin embargo, por el momento haría lo que Dillon le había pedido y toleraría la presencia y las preguntas de este.

–No tiene nada de raro. No está escrito en ninguna parte que uno tenga que trabajar en la empresa familiar. Además, yo tengo mis normas.

–¿Normas?

–Sí –dijo, y detuvo la camioneta para dar paso a un autobús escolar. Giró la cabeza y lo miró–. Soy la pequeña de la familia y mis hermanos y mis primos siempre se han creído con derecho a meter las narices en mis asuntos. Y según me hacía mayor, la cosa empeoró. He tenido que sufrirlo en casa y no quiero ni imaginarme lo que sería estar sometida a semejante acoso también en la oficina.

–O sea, que no trabajas en la empresa familiar porque necesitas tener tu espacio.

–No es esa la única razón –respondió, no quería

que él creyera que no se llevaba bien con su familia–. No trabajo en Blue Ridge Land Management porque mi profesión no tiene ninguna relación con el sector inmobiliario. Aunque tengo un máster en Administración de Empresas, también estudié Periodismo, y por eso trabajo en *Simply Irresistible*.

Empezaba a irritarle la necesidad que sentía de explicárselo todo.

–Estoy segura de que tienes muchas preguntas que hacer sobre mi familia y sé también que Dillon estará encantado de responderlas. No tenemos nada que ocultar.

–Tal vez crees que yo pienso lo contrario.

–Yo no creo nada.

Walker no dijo nada más y ella volvió a arrancar. Por el rabillo del ojo, observó que él estaba cómodamente sentado en su asiento y miraba por la ventanilla.

–¿Es la primera vez que vienes a Denver?

–Sí. Parece una ciudad agradable.

–Eso creo yo también.

Ojalá él no oliera tan bien.

–Antes has hablado de normas.

–Sí, normas.

Se figuraba que la mayoría de la gente tenía normas según las cuales vivía. Sin embargo, debía reconocer que probablemente los demás no se obligaban a una observancia tan estricta de sus propias reglas.

–He descubierto que es mejor tener normas a las que atenerse. Una de ellas es no responder a muchas preguntas, independientemente de quién sea el que pregunte. Esa norma la puse por mi hermano Zane. Siempre ha sido muy entrometido y tiende a mostrarse sobreprotector conmigo.

–Suena al típico hermano mayor.

–Zane no tiene nada de típico, créeme. Le encanta dar la lata y por eso tuve que adoptar esa norma.

–Dime otra.

–No enamorarme nunca de alguien a quien no le guste Westmoreland Country tanto como a mí.

–¿Westmoreland Country?

–Así llama la gente de aquí a la finca donde vive mi familia. Es precioso y no pienso marcharme jamás.

–Dicho de otro modo, el hombre con el que te cases tiene que estar de acuerdo en vivir allí también. En Westmoreland Country.

–Sí, en el caso de que ese hombre exista, cosa que dudo –decidió dejar de hablar de ella y volver al tema de los Outlaw–. ¿Cuántos son los Outlaw?

–Bart, el padre, era hijo único. Tiene cinco hijos y una hija: Garth, Jess, Cash, Sloan, Maverick y Charm.

–Creo que son dueños de una empresa de transportes.

–En efecto.

–¿Trabajan todos juntos?

–Sí. Bart no consentiría que fuera de otro modo. Se jubiló el año pasado y ahora es Garth quien está al mando.

—Has tenido la suerte de que mi hermano Aidan se case este fin de semana. Vas a tener ocasión de conocer a más miembros de la familia Westmoreland de los que creías.

—Lo estoy deseando.

Bailey sintió la tentación de mirarlo, pero mantuvo la mirada fija en la carretera. A su pesar, debía reconocer que aquel hombre era también sexy. Josette habría sido la primera en decir que era justo dar a cada uno lo que se merecía. Ella, sin embargo, preferiría no encontrarlo tan atractivo. Pero ¿qué mujer podría decir lo contrario? Muy masculino, guapo y sexy, era una combinación que podía causar estragos en las neuronas de cualquier mujer.

—¿Naciste en Alaska o emigraste allí? –preguntó por curiosidad.

—Nací en el rancho. Mi abuelo era militar y lo destinaron a Fairbanks a finales de los años cuarenta. Cuando se licenció, en vez de marcharse, compró una finca, unos pocos centenares de hectáreas, para su novia. La familia de mi abuela vivía en Alaska desde la época en que la región pertenecía a Rusia. ¿Y tu familia, es de aquí?

Los labios de Bailey se curvaron en una sonrisa.

—Bueno, no sé si podré rastrear la historia de la familia de mi abuela a la época en que Alaska pertenecía a Rusia, si es eso lo que quieres saber.

No podía evitar tomarle un poco el pelo a Rafferty. Evidentemente, a él le pareció divertido el comentario, a juzgar por la carcajada que salió de su garganta. Bailey sintió un hormigueo en los pezones y se estremeció. Si una carcajada causaba ese efecto en ella, ¿qué pasaría si él la tocara?

Sacudió la cabeza para tratar de alejar aquella idea. Acababa de conocer a Rafferty, ¿por qué se sentía tan atraída por él? Normalmente no le sucedía aquello con los hombres. Lo habitual era que los considerara un fastidio, no que la atrajeran.

–¿Te encuentras bien?

La camioneta circulaba ahora a menor velocidad y ella aprovechó para lanzarle una mirada. Cuando se encontró con sus preciosos ojos oscuros, deseó no haberlo hecho.

–Sí, ¿por qué lo preguntas?

–Porque he visto que te estremecías.

Eso quería decir que había estado observándola, pensó Bailey.

–No era nada, un escalofrío.

–Mejor que suba la temperatura.

¿La temperatura?. La imaginación de Bailey se disparó, hasta que vio que Walker se inclinaba hacia el salpicadero y giraba el mando de la calefacción. Al cabo de unos segundos, un chorro de aire caliente brotó por las rejillas de ventilación de la camioneta.

–¿Mejor?

–Sí, gracias.

Apenas era capaz de pensar. Necesitaba concentrarse en algo y decidió continuar con la conversación anterior y responder a la pregunta que él le había hecho.

–Por lo que respecta a mi familia, todavía estamos intentando averiguar cosas sobre mi bisabuelo, Raphael. Ni siquiera sabíamos que tenía un hermano gemelo, hasta que aparecieron los Westmoreland de Atlanta y nos contaron la historia. Entonces Dillon empezó a indagar en el pasado de Raphael y llegó a Wyoming. A lo largo de los años, hemos ido juntando las piezas del rompecabezas, y así es como averiguamos la existencia de los Outlaw.

Cuando por fin apareció ante sus ojos el enorme cartel, Bailey lo agradeció. Detuvo la camioneta y lo miró.

–Bienvenido a Westmoreland Country, Walker Rafferty.

Capítulo Dos

Una hora más tarde, Walker se encontraba junto a la ventana de la habitación de invitados que le habían asignado en casa de Dillon Westmoreland. Tan lejos como le alcanzaba la vista, Walker divisaba campos, campos y más campos. Más allá estaban las montañas, un gran valle y un enorme lago que se extendía a lo largo de la mayor parte de la finca. Por lo que había visto hasta entonces, Westmoreland Country era bonito, casi tanto como su finca de Kodiak. Casi… En su opinión, no había ningún lugar tan hermoso como Hemlock Row, su casa familiar.

Había detectado orgullo y cariño en la voz de Bailey cuando hablaba de su casa. Lo entendía perfectamente porque él sentía lo mismo por su hogar. Trece años atrás, una mujer se había interpuesto entre él y su amor por Hemlock Row, pero no volvería a suceder. Ahora, cada día trabajaba el doble de duro en su rancho para recuperar los años que había perdido. Años que debería haber estado allí, trabajando codo a codo con su padre en lugar de estar pensando que podía encajar en un mundo en el que no tenía nada que hacer.

Sin embargo, por mucho que lo deseara, no podía

cambiar el pasado. No servía decirse que ojalá no hubiera conocido a Kalyn, porque si no la hubiera conocido no habría tenido a Connor. Y a pesar de todo, de todas las mentiras y el engaño, su hijo le había hecho sentirse completo.

Walker se alejó de la ventana con el propósito de deshacer su maleta. Había conocido a Dillon y a Ramsey, a las esposas de estos y a otros hermanos y primos. Sabía la historia de los Westmoreland de Denver gracias a sus propias averiguaciones. Habían pasado por momentos de dolor y también de triunfo. Tanto los padres de Dillon como los de Ramsey habían muerto en un accidente aéreo casi veinte años atrás, y ellos dos, que eran los mayores, habían quedado a cargo de trece hermanos y primos.

Los padres de Dillon habían tenido siete hijos: Dillon, Micah, Jason, Riley, Canyon, Stern y Brisbane. Los de Ramsey, ocho. Eran cinco chicos: Ramsey, Zane, Derringer y los gemelos, Aidan y Adrian; y tres chicas: Megan, Gemma y Bailey. El final feliz de la historia era que Dillon y Ramsey habían conseguido mantenerlos unidos a todos y educarlos para que fueran adultos responsables y respetuosos con la ley. Eso no significaba, claro está, que no hubiera habido traspiés por el camino. Las averiguaciones de Walker habían desvelado varios. Al parecer los gemelos, Adrian y Aidan, al igual que Bailey y Bane, los más jóvenes del grupo, habían sido problemáticos. No obstante, todos habían logrado hacer algo con sus vidas.

Decididamente, había muchos Westmoreland en Denver, y más que estaban en camino para asistir a la boda ese fin de semana. Los que había conocido hasta el momento eran bastante simpáticos. La naturalidad con la que lo habían recibido era sorprendente, teniendo en cuenta que sabían cuál era la razón de que estuviera allí. La única persona a la que parecía molestar su visita era a Bailey.

Bailey.

De acuerdo, debía admitir que se había sentido atraído por ella desde el primer momento. La había visto cuando entraba en la sala de equipajes: andaba deprisa y la melena de rizos castaños se agitaba con cada paso que daba. Tenía una mirada decidida que le daba un aspecto adorable. Y el modo en que las luces del techo iluminaban sus rasgos hacía resaltar lo joven y guapa que era.

Se pasó una mano por la cara, desde la frente hasta la barbilla. Kalyn le había enseñado una lección que no olvidaría cuando se trataba de las mujeres, fueran de la edad que fueran. ¿Por qué entonces se sentía de pronto inquieto y tenso? ¿Y por qué se preguntaba cuánto tiempo hacía que no estaba con una mujer?

Para intentar ahuyentar el tema de su mente, Walker se concentró en la razón que lo había llevado hasta allí: hacerle un favor a Garth.

Podía averiguar lo que su mejor amigo necesitaba saber y regresar a Kodiak. Ya había llegado a la conclusión de que los Westmoreland eran más abiertos y cordiales que sus primos de Alaska. Los Outlaw tendían a mostrarse reservados, aunque Walker sería el primero en reconocer que se habían soltado bastante desde que Bart se había jubilado.

Conocía a Garth mejor que nadie y, aunque su amigo no era tan desconfiado como Bart, debía proteger un imperio empresarial. Un imperio que el abuelo de Garth había levantado con esfuerzo y que los Outlaw habían estado a punto de perder por una decisión equivocada que tomó Bart.

En todo caso, conocía a los Outlaw lo suficiente como para saber que no aceptaban nada sin cuestionarlo primero, y esa era la razón de que él estuviera allí. Por el momento, lo único que sabía con certeza era que los Westmoreland y los Outlaw eran parientes. El parecido físico era demasiado asombroso. Si los Westmoreland tenían o no segundas intenciones todavía estaba por ver.

Personalmente, lo dudaba, sobre todo después de haber charlado con Megan Westmoreland Clairbone. Había notado cómo se emocionaba mientras le hablaba de la búsqueda que habían emprendido para hallar a los demás miembros de la familia, una vez enterados de que Raphael Westmoreland no había sido hijo único, como habían creído hasta entonces. Estaba convencida de que había más parientes repartidos por ahí, aparte de los Outlaw, pues hacía poco se habían enterado de que Raphael y Reginald tenían un hermano mayor, hijo de otra mujer.

La búsqueda de parientes iniciada por los Westmoreland había sido un esfuerzo sincero y de corazón para localizar a los miembros de la familia. No tenía nada que ver con la fortuna de los Outlaw ni con sabotear la candidatura de Jess al senado por Alaska, como Bart creía.

Se apartó de la ventana en el instante en que su móvil empezó a sonar. Frunció el ceño al ver que se trataba de Bart Outlaw. ¿Por qué le llamaba le viejo?

–Hola, Bart.

–Bueno, ¿qué has averiguado, hijo?

Walker casi soltó una carcajada. ¿Hijo? Sacudió la cabeza. Bart solo se mostraba tan amable cuando su interlocutor tenía algo que le interesaba. Bart quería información, pero, desgraciadamente, no le gustaría lo que iba a escuchar, porque el viejo no soportaba equivocarse.

–¿Algo de qué, Bart? –preguntó Walker, decidido a esquivar la cuestión. No le diría nada antes de haber hablado con Garth.

Oyó que Bart refunfuñaba.

–Ya sabes de qué hablo, Walker. Sé perfectamente por qué Garth te ha mandado a Denver. Espero que encuentres algo que los desacredite.

Walker arqueó una ceja.

–¿Desacreditarlos?

–Sí. Lo último que necesitamos es gente que venga con pretensiones de ser nuestros parientes y que nos acuse de ser quienes no somos.

–¿Te refieres a que digan que sois Westmoreland y no Outlaw?

—Exacto. Somos los Outlaw. Mi abuelo se llamaba Noah Outlaw, y es su sangre la que corre por mis venas, no la de ningún otro. Quiero que lo recuerdes y que hagas lo necesario para probar que tengo razón.

Walker meneó la cabeza. Lo que Bart decía era absurdo.

—¿Y cómo se hace eso?

—Encuentra la manera. Y que esto quede entre nosotros, no hay motivo para que le menciones nada a Garth —dijo y, a continuación, colgó.

Walker frunció el ceño y se quedó con el móvil en la mano durante un momento. Así era Bart. Daba órdenes y esperaba que estas se cumplieran. Sin preguntas. Sacudió la cabeza y llamó a Garth, el cual respondió al segundo timbre.

—¿Sí, Walker? ¿Cómo va todo?

—Tu padre acaba de llamarme. Puede que tengamos un problema.

—He oído que Walker Rafferty es muy guapo.

Bailey se llevó a los labios la taza de café mientras Josette se acomodaba en su asiento, enfrente de ella. Desayunaban juntas al menos dos o tres veces a la semana, cuando sus respectivas agendas lo permitían. Josette era auditora por cuenta propia y su mayor cliente era el hospital en el que trabajaba de anestesista Megan, la hermana de Bailey.

—Me imagino que has visto a Megan esta mañana

—dijo Bailey, deseando poder refutar lo que Josette había oído. Por desgracia, no podía porque era cierto. Walker era guapo, pecaminosamente guapo.

—Sí, esta mañana muy temprano he ido al hospital porque tenía una cita y me he cruzado con tu hermana. Está entusiasmada con eso de que los Outlaw se hayan puesto en contacto con tu familia.

Bailey alzó los ojos al cielo.

—Mandar a alguien en lugar de venir ellos mismos no es lo que yo llamaría ponerse en contacto. Debería haber venido uno de ellos en persona. Mandar a un tercero es de muy mal gusto.

—Sí, pero también podrían no haberse dado por enterados. Hay gente que se vuelve muy susceptible cuando alguien se presenta asegurando que es un pariente. Nunca sabes lo que puede haber detrás.

Como Bailey y Josette eran clientes habituales de McKays, la camarera puso una taza de café ante Josette. Esta le sonrió.

—Gracias, Amanda.

Tras dar un sorbo volvió a concentrar toda su atención en Bailey.

—Bueno, cuéntame algo de él.

—No mucho. Está bien, y parece bastante agradable.

—¿Eso es todo lo que sabes de él, que está bien y parece agradable?

—¿Debería saber algo más?

—¿Es soltero, casado, divorciado?, ¿tiene niños? ¿Cómo se gana la vida?, ¿vive todavía con su madre?

Bailey sonrió.

–No le he preguntado por su estado civil, pero me imagino que será soltero, porque no lleva alianza. En cuanto a su profesión, es ranchero. Eso es todo lo que sé, se dedica a criar bisontes.

–Me imagino que no se mostró muy locuaz.

–Lo suficiente, mantuvimos una conversación educada.

–¿Educada? –repitió Josette, y soltó una risita–. ¿Tú?

Bailey sonrió. La buena educación no era una de sus cualidades.

–Le prometí a Dillon que me mostraría educada aunque eso me estuviera matando por dentro –lanzó una ojeada a su reloj de pulsera–. Tengo que marcharme, he quedado a las nueve con el reportero que va a cubrir mi antiguo puesto.

–De acuerdo, luego nos veremos.

Mientras salía de la cafetería, Bailey se puso a pensar en las preguntas que había formulado Josette. Había muchas cosas que ignoraba sobre Walker.

Lo remediaría cuando se encontrara con él más tarde.

Walker se hallaba de pie delante de los establos de Dillon cuando apareció la camioneta de Bailey. Al cabo de un momento vio cómo esta se bajaba del vehículo. Aunque intentó no darse por aludido, notó un aleteo en la boca del estomago al verla de nuevo. Al igual que el día anterior, seguía pareciéndole muy sensual. Se sentía atraído por ella, eso era todo, podría manejar la situación. Entonces ¿por qué le costaba tanto?

¿Por qué se había levantado esa mañana esperando encontrarla en la mesa del desayuno? Se imaginaba que vivía con Dillon y su mujer, dado que no tenía casa propia. Luego se había enterado de que Bailey no tenía una residencia fija, sino que se quedaba en casa de uno u otro de sus hermanos según le viniera mejor en cada momento. Sin embargo, ahora que la mayoría de sus hermanos, hermanas y primos se había casado, solía estar en casa de su hermana Gemma, pues esta y su marido, Callum, vivían en Australia.

Siguió mirándola, un poco sorprendido por su propia reacción. No solía perder el tiempo en comerse con los ojos a una mujer, pero con Bailey no podía evitarlo. Había algo en ella que despertaba la atención de los hombres, aunque estos no quisieran. Sus hermanos y sus primos probablemente lo despellejarían vivo si supieran lo que estaba pensando en ese momento.

Ella se alejó de la camioneta sin molestarse en ponerse el abrigo, el frío no parecía importarle. Iba vestida con camiseta de manga larga, una falda larga de tubo que marcaba sus curvas y botas de cuero negras.

Walker entrecerró los ojos para protegerse del sol y vio que Bailey rodeaba la camioneta examinando los neumáticos. El pelo le caía por los hombros, y él se imaginó hundiendo los dedos en aquellos mechones y atrayéndola luego hacia sí. Se inclinaría hacia su boca y…

—¿Walker? ¿Qué haces aquí?

—Soy un invitado, ¿recuerdas? —respondió, aliviado de que ella hubiera interrumpido sus pensamientos.

Bailey se acercó con el ceño fruncido.

—¿Invitado? No exactamente, si recuerdo bien. Pero lo que estoy preguntando es qué haces aquí fuera tú solo, con el frío que hace. ¿Dónde están los demás? ¿Y por qué no me has saludado cuando me he bajado de la camioneta para que supiera que estabas aquí?

Walker se apoyó en puerta del establo.

—Hola, Bailey. Son muchas preguntas, ¿no te parece?

Ella lo miraba fijamente.

—¿En serio?

—Sí, sobre todo para alguien que ayer mismo me contaba que una de sus normas es no responder a demasiadas preguntas, independientemente de quién las haga. ¿Qué te parecería si te digo que yo también me rijo por esa norma?

Ella alzó la barbilla con gesto enfadado.

¿Eran imaginaciones suyas o estaba todavía más guapa cuando se enfadaba?, se preguntó Walker.

—Tengo derecho a hacerte todas las preguntas que quiera.

Él meneó la cabeza.

–Permíteme que disienta. Sin embargo, por cortesía y dado que ninguna de tus preguntas es indiscreta, te voy a responder. Estoy aquí fuera porque acabo de volver de dar un paseo a caballo con Ramsey y Zane. Ellos se han ido a casa, pero a mí no me apetecía entrar todavía.

–¿Zane y Ramsey te han dejado aquí solo?

–Sí, pareces sorprendida. Por lo visto, algunos miembros de tu familia me tienen confianza. Supongo que se figuran que los caballos y las ovejas están a salvo conmigo –dijo, sosteniéndole la mirada.

–No estaba insinuando…

–Perdona, pero todavía no he terminado de contestar a todas tus preguntas –la interrumpió, y tuvo que contenerse para no sonreír cuando ella se apresuró a cerrar la boca, la misma boca que momentos antes se había imaginando besando–. No te he saludado porque parecías muy ocupada revisando los neumáticos y no quería distraerte. ¿Hay algún problema?

–Uno necesita aire. Cuando he levantado la vista de los neumáticos, me estabas mirando fijamente. ¿Por qué?

Bailey tenía que saber que se sentía atraído por ella. ¿Qué hombre en sus cabales no sentiría lo mismo? Era hermosa, deseable, atractiva… Y tenía la intuición de que ella no era indiferente. Un hombre sabía cuándo una mujer estaba interesada.

Claro que él no deseaba resultarle atractivo a Bailey, ni sentirse atraído por ella. Se negaba a confesarle que no la había saludado porque se había quedado hipnotizado mirándola.

–Otra vez estaba pensando cuánto os parecéis Charm y tú. Lo comprobarás tú misma cuando la conozcas.

–Eso… si llego a conocerla.

–No seas tan escéptica. Estoy seguro de que os vais a conocer.

–No estés tan seguro, Walker.

A él le gustaba oírle decir su nombre. No quería enzarzarse en una discusión, así que cambió de tema.

–¿Qué tal te ha ido hoy el día?

Testaruda, Bailey pensó que a él le importaba un pimiento cómo le hubiera ido el día. Entonces ¿por qué se lo preguntaba? ¿Y por qué ella encontraba a aquel hombre tan guapo como irritante? ¿Y por qué cuando había levantado la vista y lo había sorprendido mirándola había sentido algo que nunca antes había experimentado?

Los ojos de Walker Rafferty tenían algo que atrapaba y su reacción había sido física. Durante un instante, se había imaginado cómo sería sentir la caricia de los dedos de Walker en el pelo, el aliento de su respiración en los labios, la presión de su cuerpo pegado al de ella.

¿Por qué se le desbocaba la imaginación? Apenas conocía a ese hombre. Ni ella ni su familia. Sin embargo, el resto lo había recibido encantado en Westmoreland Country sin pensárselo dos veces. Al menos, eso parecía. ¿Estaría su familia tan ansiosa por encontrar nuevos parientes que había bajado la guardia? Recordaba momentos en que la presencia de un desconocido hacía sonar todas las alarmas. En aquella época, nunca sabían cuándo iba a aparecer alguien de los servicios sociales para realizar una visita sorpresa.

Walker estaba esperando que ella contestara.

–Bien. Era mi primer día de coordinadora de reportajes y creo que he resuelto todo bastante bien. Incluso se podría decir que he hecho un trabajo estupendo.

Él soltó una risa.

–Veo que no te falla la autoestima.

–En absoluto.

Estaba anocheciendo, y estar allí con él, junto al establo, casi en la oscuridad, resultaba demasiado íntimo para su gusto. Pero había algo que necesitaba saber, algo que había mencionado Josette esa mañana.

No se andaba por las ramas cuando algo le interesaba.

–¿Estás casado, Walker?

Walker se la quedó mirando fijamente, se había quedado sin respiración. ¿A santo de qué venía esa pregunta? En todo caso, la respuesta era fácil, dado que ni siquiera había estado realmente casado, incluso cuando él creía que sí. ¿Cómo hablar de un verdadero matrimonio cuando una de las partes llevaba la traición a un nivel completamente nuevo?

Reinaba el silencio entre ellos. Bailey debía de

estar preguntándose por qué no contestaba. Él ahuyentó los recuerdos desagradables.

–No, no estoy casado –y decidió añadir algo más–: Ni tengo novia. ¿Por qué lo preguntas?

Ella se encogió de hombros. Esos preciosos hombros deberían llevar un abrigo encima, pensó Walker.

–Simple curiosidad. No llevas anillo de casado.

–No.

–Aunque eso tampoco significa mucho en estos tiempos.

–Tienes razón. Llevar un anillo no significa gran cosa.

Bailey frunció el ceño y él comprendió que no esperaba esa respuesta.

–Así que eres unos de esos…

–¿De cuáles?

–De esos que no respetan el matrimonio ni lo que representa.

Walker no pudo dominar la súbita indignación que se apoderó de él. Si Bailey supiera lo equivocada que estaba…

–No me conoces, por tanto te sugiero que te guardes para ti tus conjeturas.

Y con las mandíbulas apretadas, se marchó.

Capítulo Tres

A la mañana siguiente, Bailey se encontraba sentada ante el enorme escritorio bebiendo a sorbos una taza de su café preferido. El día anterior había sido el de la mudanza y ella se había quitado de en medio mientras los de mantenimiento trasladaban su equipo electrónico del antiguo despacho al nuevo, donde se hallaba en esos momentos. Todo estaba en orden, incluido su escritorio, sobre el que reposaba una bonita planta regalo de Ramsey y Chloe.

No podía evitar pensarlo. «Has recorrido un largo camino». Y solo ella y su familia sabían de verdad lo largo que había sido.

Había pasado unos años de rebeldía y ella era la primera en admitir que un cierto espíritu revolucionario anidaba todavía en su corazón. Con los años había aprendido a dominarlo, pero le seguía gustando sobresaltar a su familia de vez en cuando.

Ser la pequeña de los Westmoreland tenía sus ventajas y sus inconvenientes. Los últimos años, la mayoría de los miembros de la familia había dejado de prestarle tanta atención para concentrarse en los cónyuges e hijos respectivos. Ella adoraba a las mujeres y los maridos de sus hermanos, hermanas y primos, y cuando estaba con la familia se sentía querida.

Pensó en el hijo de su primo Riley, nacido el año anterior. Y había otros bebés en camino. Toda una nueva generación de los Westmoreland de Denver. Aquel pensamiento la había golpeado como una tonelada de ladrillos al tomar en brazos a la hija de Ramsey y Chloe. Su primera sobrina, Susan. La habían llamado así en recuerdo de la madre de Bailey.

Con su sobrina en brazos, había rezado para que esa niña nunca sufriera el dolor de perder a la vez a su padre y a su madre, como le había sucedido a ella. Ningún niño debería experimentar ese sufrimiento y esa pena. Ella no había podido afrontar tanto dolor. Ninguno de los Westmoreland, en realidad, pero en su caso, en el de los gemelos, Adrian y Aidan, y en el de Bane, había sido peor porque eran muy pequeños.

Bailey se avergonzaba cuando pensaba en algunas de las cosas que había hecho, de las palabrotas que habían salido de sus labios. Estaba muy agradecida a su familia, en especial a Dillon y a Ramsey, por no haberse dado por vencidos. Dillon se había llegado a enfrentar al estado de Colorado cuando los servicios sociales quisieron mandar a Bane, a los gemelos y a ella a un hogar de acogida.

Contrató a un abogado y luchó para no perder la custodia, a pesar de todo el jaleo que los cuatro organizaban allá por donde iban. Los entendía. De algún modo sabía que el comportamiento despreciable de aquellos cuatro estaba provocado por el dolor de haber perdido a sus padres y que, en el fondo, no eran malos chicos.

«Siempre montando bronca», solían decir de ellos los vecinos de Denver. Esa era la reputación que los cuatro trataban de dejar atrás, aunque no siempre era fácil. Un ejemplo era la noche anterior.

Walker Rafferty casi la había hecho reaccionar como en aquellos tiempos. No soportaba a los hombres que seguían teniendo aventuras después de casados. Por lo que a ella respectaba, los que ya las tenían antes de pasar por el altar no eran mejores, pero al menos no lucían un anillo en el dedo.

Se alejó del escritorio y fue hacia la ventana. El centro de Denver era bonito, especialmente visto desde su nuevo despacho. Sin embargo, ni siquiera aquella vista tan impresionante que contemplaban sus ojos podía hacerle olvidar el comentario de Walker.

No podía olvidar la pena y el calvario que había sufrido su amiga Josette mientras había durado su matrimonio con Myles. Se habían casado nada más terminar el instituto, a pesar de que los padres de ambos se oponían. Pensaban que el amor podía conquistarlo todo si estaban juntos. Al cabo de un año, Josette se enteró de que Myles salía con otra. Para poner sal en la herida, este culpó a Josette, diciendo que ella era la responsable de que se hubiera acostado con la vecina, pues faltaba de casa todas las tardes para acudir a clase nocturnas en la universidad.

Esa era la razón de que Bailey se hubiera indignado cuando Walker había insinuado que llevar una alianza el dedo no significaba nada para un hombre. Se había enfadado tanto que solo había entrado un momento en casa de Dillon para dar un abrazo a los hijos de este, Denver y Dade, y se había marchado enseguida.

Era obvio que Walker se había enfadado tanto como ella, pero no tenía ni idea de por qué. Sí, es cierto que había reaccionado con brusquedad, pero le daba igual. Le gustaba llamar a las cosas por su nombre. Si él no creía de verdad lo que había dicho, mejor que no hubiera hablado.

El timbre del teléfono de su escritorio captó su atención y se apresuró a atravesar el despacho para contestar. Era una llamada interna de Lucía. La mujer de Ramsey, Chloe, era la fundadora de la revista y directora general, y la mejor amiga de esta, Lucía, ocupaba el puesto de redactora en jefe. Lucía estaba casada con uno de los hermanos de Bailey, Derringer. Aunque era agradable que sus cuñadas fueran las jefas, Bailey sentía la obligación de demostrar que sus logros y sus éxitos eran merecidos, y no el resultado de un favoritismo. Que Chloe y Lucía fueran miembros de la familia Westmoreland no significaba que ella tuviera un trato preferencial. No lo habría permitido.

–¿Sí, Lucía?

–Hola, Bailey. Chloe anda por aquí y quiere verte.

Bailey arqueó una ceja. ¿Qué podía haber sacado a Chloe tan temprano de Westmoreland Country ese día? Todavía no eran ni las nueve de la mañana. Tras casarse con Ramsey, Chloe casi había decidido convertirse en la esposa de un ranchero y no solía aparecer por la oficina últimamente.

Bailey se puso la chaqueta.

–De acuerdo. En seguida voy.

Walker decidió volver a casa de Dillon por el camino más largo. Mientras cabalgaba, disfrutaba de la belleza del campo. Había muchas cosas en Westmoreland Country que le recordaban a la isla de Kodiak, aunque desde luego el frío no era una de ellas. Si bien hacía frío, no era nada comparado con los durísimos inviernos que él tenía que soportar. Estábamos a mediados de octubre y en Kodiak había el cuádruple de nieve que allí.

No eran las diferencias climatológicas, sin embargo, lo que tenía en la cabeza ese día, sino los sueños de la noche anterior. Había soñado con Bailey y con su conversación junto al establo.

Incluso en ese momento se volvía a enfadar si lo recordaba. Ella no tenía derecho a hacer suposiciones. Ningún derecho. No le conocía, no tenía ni idea del infierno por el que había pasado ni del dolor que había padecido, y que seguía padeciendo casi diez años después. Y tampoco tenía ni idea de lo que había perdido.

Cuando llegó al lago, obligó al caballo a bajar el ritmo y respiró hondo. El ambiente se estaba despejando; deseó que lo mismo pasara con su alma. Después de detener por completo al caballo, desmontó y se puso a contemplar el valle que se extendía a sus pies. La única palabra que se le ocurría para describirlo era «impresionante».

Y aunque seguía furioso con Bailey, una parte de él pensó que ella también lo era. ¿De qué otro modo describir a una mujer que podía sacarle de quicio y seguir reinando en sus sueños eróticos? Se había despertado varias veces durante la noche completamente excitado. Hacía años que no le sucedía. Desde que dejó California y regresó a Kodiak.

La verdad era que se había entregado en cuerpo y alma al trabajo del rancho. Era una manera de lavar la culpa que sentía por no haber estado allí cuando su padre lo necesitaba. Y también le ayudaba a sobrellevar la muerte de Connor. Había días que trabajaba desde el amanecer hasta que el sol se ocultaba en el horizonte. Y las noches en que su cuerpo buscaba a una mujer era solo por placer. El sexo apasionado, pero vacío de emoción, se había convertido en su modo de relacionarse con ellas. Aunque incluso de eso hacía varios años.

Ya no anhelaba el tipo de matrimonio de sus padres y sus abuelos. Estaba convencido de que esa clase de parejas ya no existían. Y si existían todavía, eran la excepción y no la norma. Debía admitir, sin embargo, que los Westmoreland mostraban adoración por sus esposas y llevaban corazones tatuados con sus nombres en los brazos, como si fueran galones. Está bien, incluiría a los Westmoreland en la excepción.

Subió a su montura para regresar. Al despertar, Bailey no había desaparecido de sus pensamientos. Incluso a la luz del día, seguía sin poder quitársela de la cabeza. Eso no era buena señal.

Le había dicho a Dillon que se marcharía el lunes, pero se daba cuenta de que sería preferible regresar a Kodiak inmediatamente después de la boda. Cuando antes, mejor. Y cuanto más lejos de Bailey, también mejor.

Sabía suficiente sobre los Westmoreland y le diría a Garth lo que pensaba, sin importar lo que Bart dijera. El viejo se equivocaba si creía que podía presionarle.

Él no tenía nada que perder. Ya lo había perdido todo.

Bailey entró en el despacho de Lucía y se encontró a sus cuñadas charlando mientras disfrutaban de sendas tazas de café. No era la primera vez que Bailey pensaba que sus hermanos, Ramsey y Derringer, eran muy afortunados por haberse casado con esas dos. Además de guapas, eran mujeres con estilo, admirables por lo que habían logrado. Verdaderos modelos a seguir. Se habían conocido en la universidad, en Florida, y eran íntimas amigas desde entonces. Era increíble que se hubieran casado con dos hermanos, sobre todo porque estos eran tan distintos como el día y la noche. Ramsey era el mayor y siempre había sido una persona responsable. Derringer se había ganado a pulso la reputación de mujeriego. Ella había llegado a creer que nunca sentaría la cabeza. Sin embargo, no solo estaba felizmente casado, sino que era padre de un niño precioso, Ringo. Había asumido el papel de padre de familia como si estuviera hecho a su medida.

Chloe levantó la vista y vio a Bailey de pie en el umbral. Sonrió y fue hasta ella para darle un abrazo.

–Bay, ¿cómo estás? Ayer apenas te vi en casa de Dillon. Llegaste y te marchaste en seguida, no nos dio tiempo a hablar. ¿Qué tal tu segundo día de encargada de reportajes?

Bailey devolvió la sonrisa a su cuñada.

–Muy bien. Estoy lista para remangarme y traer esos reportajes que harán crecer el número de nuestros lectores.

Chloe esbozó una amplia sonrisa.

–Me gusta oír eso. Quería felicitarte por el ascenso y que supieras lo orgullosa que estoy de ti.

–Gracias –Bailey se sintió conmovida. Había empezado en la revista trabajando a tiempo parcial mientras estudiaba. Le había gustado tanto que había decidido cambiarse a Periodismo, y no lo lamentaba. Chloe, sin embargo, la había convencido para que hiciera también un MBA.

–¿Cómo es que has venido tan temprano?

–Tengo que encontrarme con Pam dentro de un rato. Quiere que esté presente en varias entrevistas que va a hacer hoy: tiene que contratar a alguien para dirigir la escuela.

Bailey asintió. Pam era la esposa de Dillon. Era actriz y unos años atrás había abierto una escuela de arte dramático en su ciudad natal, Gamble, en Wyoming. Había tenido éxito y ahora iba a abrir la segunda en Denver.

Chloe la agarró del brazo.

—Ven a sentarte con nosotras un rato. Te tomas un café y me cuentas qué te parece tu nuevo despacho.

—¡Me encanta! Os lo agradezco mucho a las dos. La vista es increíble.

—¿Verdad que sí? —Lucía sonrió—. Ah, mi antiguo despacho… A veces lamento haberme cambiado, aunque debo admitir que la vista de este también es fantástica.

—Sí, desde luego… —Bailey recorrió con la mirada la habitación, que era el doble de grande. Cuando su mirada aterrizó en la pantalla del ordenador de Lucia, enmudeció.

—¿Lo reconoces? —preguntó Lucia, y aumentó el tamaño de la imagen hasta que una cara ocupó toda la pantalla.

Bailey respiró hondo al darse cuenta de cómo se le había acelerado el pulso. Si bien la cara perfectamente afeitada la había despistado por un segundo, esos ojos tan maravillosos que la miraban desde la pantalla eran inconfundibles. Por no hablar de la sonrisa.

—Es Walker Rafferty —contestó. Parecía mucho

más joven, aunque sus rasgos, fuertes, marcados, eran igual de bellos.

Chloe asintió y se puso a su lado.

–Exacto. En la época en que se tomaron estas fotos, la mayoría lo conocía como Ty Reklew, un prometedor galán de Hollywood.

Bailey se quedó pasmada y miró de nuevo hacia la pantalla. ¿Walker había sido actor? Imposible. Apenas hablaba y era reservado. Aunque sabía que había hecho bastante amistad con sus hermanos y sus primos.

¿Qué acababa de decir Chloe?, ¿qué había sido un prometedor galán de Hollywood? Bailey estudió la imagen. Sí, se lo creía. Tenía una sonrisa irresistible, tanto que se le puso la carne de gallina.

Miró de nuevo a Chloe y a Lucia.

–¿Es actor?

–Lo fue, hace diez años, y tenía bastante éxito. Pero luego Ty Reklaw se marchó de Hollywood y nadie volvió a oír hablar de él –explicó Chloe, y se sentó.

Bailey arrugó la frente.

–¿Recklaw?, ¿como Recklaw de Texas?

Lucía sonrió mientras le servía a Bailey una taza de café.

–No. Probablemente lo de Recklaw viene de Walker, escrito al revés… Ya sabes que a algunos artistas no les gusta usar sus verdaderos nombres.

Bailey entornó los ojos mientras se le ocurría una idea.

–¿Estáis seguras de que su verdadero nombre es Walker Rafferty?

–Sí, se lo pregunté a Dillon.

Bailey arqueó una ceja.

–¿Dillon sabía quién era?

–Solo después de que Pam se lo dijera. Ella se acordaba de Walker, de la época que estuvo en Hollywood, pero no creía que él la recordara, porque nunca llegaron a conocerse.

Bailey asintió. Sí, ninguna mujer se olvidaría de Walker.

–O sea, que era actor y tenía un futuro prometedor. ¿Por qué se marchó?

Lucía bebió un sorbo de café.

–Pam dice que todo el mundo pensó que había sido porque su mujer y su hijo se mataron en un accidente de coche.

–¡Dios mío, qué horrible! –exclamó Bailey.

–Sí, y según Pam, estaba muy enamorado de su mujer. Su hijo acababa de cumplir un año unos días antes del accidente –informó Lucia–. Probablemente fue demasiado terrible y nunca se recuperó.

–Me lo imagino.

Había perdido a sus padres de manera trágica y sabía el dolor que se sentía en esos casos. Entonces pensó en la conversación de la noche anterior, cuando le había preguntado si estaba casado. Él le había respondido que no, pero sin decirle que era viudo.

Rememoró el resto de la conversación que los había hecho enfadar a los dos. Del comentario que había hecho Walker, uno podía deducir que la santidad del matrimonio no significaba nada para él. ¿O tal vez se había equivocado al interpretarlo así? Con solo pensarlo, se estremeció.

–Bailey, ¿estás bien?

Ella alzó la vista y vio a sus cuñadas, que la miraban fijamente.

–Creo que no. Me parece que ayer por la noche ofendí a Walker.

–¿Por qué?, ¿qué pasó? –preguntó Lucía compungida.

Bailey se encogió de hombros.

–Saqué determinadas conclusiones sobre él y su actitud hacia el matrimonio y le dije algo basado en mis suposiciones. ¿Cómo iba a saber que había perdido a su mujer? Me imagino que dijo lo que dijo porque la idea de volver a casarse debe resultarle muy dolorosa.

–Es probable. Según Pam, se dedicaba mucho a su familia, a pesar de que se estaba haciendo bastante famoso.

Bailey lanzó un suspiro: se sentía fatal. ¿Cuándo aprendería a no sacar conclusiones apresuradas sobre todo? Dillon y Ramsey la habían prevenido a menudo. Por algún motivo, en seguida pensaba lo peor de la gente.

–¿Por eso te quedaste tan poco rato en casa de Dillon y Pam ayer por la noche, porque Walker y tú habíais discutido? –quiso saber Chloe.

–Sí. Estaba furiosa con él. Ya sabes lo que pienso

de los hombres que tienen aventuras, antes o después de casarse.

Chloe asintió.

–Sí, Bailey, todos estamos al corriente. A tus pobres hermanos y a tus primos les has regañado a menudo por el número de novias que tenían.

–Bueno, me alegro de que hayan sentado la cabeza y se hayan casado –empezó a ir de un lado para otro de la habitación mordisqueándose el labio inferior. Estaba nerviosa. Al cabo de un momento, se detuvo y miró a sus cuñadas–. Tengo que pedirle disculpas.

–Más bien sí –Lucía y Chloe contestaron al unísono.

Bailey dio un sorbo a su café y, de repente, se le ocurrió algo.

–Si Walker estaba tan de moda en Hollywood, ¿por qué yo no me acuerdo de él?

Lucía sonrió.

–Si recuerdo bien, hace diez años estabas demasiado ocupada haciendo el vago por ahí con Bane y metiéndote en toda serie de líos. No me extraña que no supieras quién estaba de moda y quién no. Admito que, aunque yo sí que me acuerdo de él, ahora parece distinto. Todavía es guapo, pero ha madurado y también parece más robusto. La barba le vuelve casi irreconocible. No me habría dado cuenta de quién era si Pam no lo hubiera mencionado. Y claro, esta mañana estaba deseando verlo.

–¿Hizo muchas películas? –preguntó Bailey. Tenía intención de buscarlas todas en cuanto saliera de trabajar.

–No, solo dos. En una de Matthew Birmingham, actuaba con Carmen Atkins; eran hermanos. Esa fue la primera. Estaba muy sexy y trabajaba muy bien –comentó Chloe con una sonrisa–. Según Pam, no lo nominaron para ningún premio, pero muchos pensaban que se lo merecía. Lo que sí recibió fue la atención de las mujeres y de varios directores de Hollywood. Pronto le dieron otro papel en una película dirigida por Clint Eastwood. Una del oeste. Acababa de terminar el rodaje cuando se mataron su mujer y su hijo. Creo que no apareció en el estreno, se marchó a Alaska y no regresó.

Bailey no decía nada. Estaba pensando en cómo congraciarse con Walker.

–Cuando le vea esta tarde, le pediré disculpas.

–Buena suerte –le deseó Chloe sonriendo–. Esta mañana, antes de que yo me fuera, ha llegado Thorn con sus hermanos y sus primos, y ya sabes lo que significa eso.

Sí, lo sabía. Esa noche habría partida de cartas. Solo para hombres. Y tenía el presentimiento de que invitarían a jugar a Walker. Entonces se le ocurrió una idea. Walker llevaba diez años viviendo en su rancho, en una isla remota. La noche anterior le había dicho que no estaba casado y que tampoco mantenía una relación estable con una mujer, lo cual significaba que era un solitario. Era justo el tipo de hombre al que necesitaba entrevistar para uno de los números de la revista, que debía publicarse en primavera. Esperaría a tener todos los detalles antes de compartir su idea con Chloe y Lucía.

Entonces cayó en la cuenta de que Walker tenía planeado regresar a Alaska el lunes siguiente a la boda. Aquello no le dejaba mucho tiempo. Miró de nuevo la foto de Walker. Una entrevista en exclusiva se traduciría en un gran éxito de ventas para la revista.

Bebió un sorbo de café. Si conseguía convencer a Walker, claro.

Capítulo Cuatro

Walker lanzó una carta antes de echar un vistazo hacia la puerta. ¿Cuántas veces había repetido el mismo gesto? ¿Y por qué tenía la esperanza de que Bailey apareciera en una partida solo para hombres? La principal razón era que se trataba de Bailey y, según sus hermanos y primos, esta hacía siempre lo que le apetecía.

Y ahí estaba él, casi a media noche, en lo que todos llamaban la cueva de los hombres de Dillon, jugando a las cartas con un puñado de Westmoreland. Debía admitir que durante los últimos tres días había llegado a conocer bastante bien a la familia. Ese día habían llegado además sus primos de Atlanta, y los que vivían en Montana.

Walker no pudo evitar reírse de la acusación de Bart. El viejo pensaba que los Westmoreland andaban detrás de los Outlaw para sacarles el dinero. Él sabía con certeza que no era verdad. Incluso si su empresa inmobiliaria no estuviera ganando millones, el negocio de cría de caballos que regentaban unos cuantos primos también iba viento en popa.

–Te estabas riendo entre dientes, Walker. ¿Quiere decir que te han entrado buenas cartas?

Walker miró a Zane y sonrió.

—Si así fuera, tú serías el último en enterarte.

Los demás se rieron. En cierto modo, le sorprendía lo cómodo que se sentía entre ellos, incluso con los Westmoreland que acababa de conocer ese día. Cuando regresó a Alaska, después de su paso por Hollywood, había rehuido la compañía de todos excepto la de los Outlaw y aquellos miembros de la comunidad muy cercanos a la familia. Era hijo único y no estaba acostumbrado a las familias numerosas, pero con los Westmoreland estaba aprendiendo cómo funcionaban.

Thorn les estaba contando a todos cómo era la bicicleta que acababa de construir para un famoso. Walker no levantó la vista de las cartas. Podría haber intervenido en la conversación, puesto que conocía personalmente al cliente en cuestión, pero siguió callado. Pertenecía a una época que prefería no recordar.

Oyó que llamaban a la puerta y, solo por el hormigueo que le recorrió el brazo, comprendió que era Bailey. La mera idea de estar interesado en ella debería haberle dejado frío, sobre todo después de las acusaciones que Bailey le había dirigido la noche anterior. Sin embargo, sucedía lo contrario. Había soñado con ella, había permitido que ocupara su pensamiento durante todo el día y, en ese instante, su cuerpo estaba respondiendo como lo hace un hombre cuando desea a una mujer.

—¡Adelante! —gritó Dillon—. Y quienquiera que seas, mejor que seas hombre.

Bailey abrió un poco la puerta y asomó la cabeza.

–Siento decepcionarte, Dil. He venido a comprobar que todos estáis bien y de una pieza. Me imagino la cantidad de dinero que estaréis perdiendo –dijo y, sonriendo, entró en la habitación.

Walker fue el único que se molestó en levantar la vista. Estaba preciosa. El pelo le caía con suavidad sobre los hombros y la ropa, vaqueros y un jersey azul, le marcaba las curvas y la hacía parecer femenina y sexy.

No podía apartar la vista de ella y entonces Bailey lo miró. ¡Bam! En el momento en que las miradas de ambos se encontraron, Walker sintió como si algo lo golpeara, y estaba seguro de que ella había sentido lo mismo.

Se dio cuenta de que ya no estaba enfadada. El destello de furia que había visto en sus ojos la noche anterior había desaparecido. En su lugar vio algo distinto, algo que le hizo estremecer. ¿Se lo estaría imaginando?

–Vete, Bay. Me das mala suerte –berreó su primo Durango, que había venido desde Montana. No despegaba la mirada de las cartas que tenía en la mano.

–Seguro que llevas ya un buen rato perdiendo –respondió ella sonriendo–. También he venido para rescatar a Walker –lo miró–. Probablemente a estas alturas estará harto de vuestra compañía, pero es demasiado amable para decíroslo, así que me lo llevo.

Walker vio que doce pares de ojos lo miraban, pero no con curiosidad, sino con un brillo de piedad, como si pensaran: «Te ha tocado». Las miradas de los jugadores volvieron a concentrarse en el juego.

–No somos tontos, Bay –Zane Westmoreland sonrió y lanzó una carta–, sabemos que quieres son-sacarle información sobre nuestros planes para la despedida de soltero de Aidan. Debes saber que le hemos explicado las reglas a Walker: lo que se dice en esta habitación, no sale de aquí.

–Da igual –respondió ella poniendo la mirada en blanco–. Bueno, Walker, ¿quieres que te rescate?

Él no tuvo que pensarlo dos veces.

–¿Por qué no? –dijo echando hacia atrás su silla–. No es que no me lo esté pasando bien con vosotros –dejó sus cartas sobre la mesa y miró a sus compañe-ros de partida–, sino que me niego a seguir perdien-do dinero. Sois jugadores profesionales, aunque no lo queráis admitir.

Dillon se rio entre dientes.

–Ian es el único jugador de verdad de la familia. Nosotros no somos más que aprendices. Si estuviera aquí, habrías perdido hasta la camisa, créeme.

Walker sonrió.

–Estoy deseando conocerle –caminó hasta don-de se encontraba Bailey–. Os veré por la mañana, chicos.

–No muy temprano –le previno Zane al tiempo que lanzaba una carta–. Esta partida puede durar toda la noche, nos iremos a dormir tarde.

Walker asintió con la cabeza.

–Lo tendré en cuenta.

–¿Por qué sentías has venido a rescatarme?

Bailey lanzó una mirada a Walker mientras se dirigían hacia la escalera.

–Pensaba que a lo mejor querías ir a dar un paseo.

–¿Cómo, a caballo?, ¿a esta hora de la noche y con este tiempo?

Ella soltó una risa ahogada.

–No, en la camioneta. Y sí, a esta hora y con este tiempo. Hace una buena noche. Además, quiero hablarte de algo.

Él se detuvo y la miró.

–¿Anoche no fue suficiente, todavía quieres acusarme de algo más?

Bailey sabía que se lo merecía.

–Sé que me pasé de la raya.

Él se cruzó de brazos.

–¿En serio?

–Sí. Y si no te importa, me gustaría explicártelo, pero no aquí. Si estás dispuesto, conozco el sito perfecto para hablar tranquilamente.

Él no sabía de qué quería que hablaran. Sin embargo, en lugar de preguntar, se limitó a asentir.

–Muy bien, vamos donde tú digas.

Cuando salieron, la temperatura había bajado. Hacía más frío de lo que ella creía.

–Kent se calienta en seguida.

–¿Kent?

Bailey hundió las manos en los bolsillos del abrigo.

–Sí, mi camioneta.

Walker se rio.

–¿Le has puesto nombre a tu coche?

–Sí. Llevamos mucho tiempo juntos, somos compañeros. Lo cuido y me cuida. Mejor dicho, Jojo me ayuda a cuidarlo.

–Jojo es la esposa de Stern, ¿no? ¿Es mecánica?

–Sí, la mejor de Denver y probablemente de todo el país. Su tra…

Habían llegado hasta la camioneta.

–Vale, vale. Me hago una idea.

Bailey echó la cabeza hacia atrás y se rio. Abrió la puerta, se metió dentro y esperó hasta que él estuvo sentado a su lado.

–¿Adónde vamos? –preguntó Walker.

–A Bailey's Bay.

Walker había oído hablar de Bailey's Bay, e incluso había atravesado parte del terreno a caballo el día anterior, junto a Ramsey y Zane. Dillon le había contado que Westmoreland Country tenía una extensión de setecientas veintiocho hectáreas. Como él era el mayor, había heredado la casa principal y las ciento veinte hectáreas de alrededor. Cada uno de los demás, cuando cumplía veinticinco años, recibía 40 hectáreas, que pasaban a ser de su propiedad. Bailey había decidido poner nombre a cada finca, a la suya la llamó Bailey's Bay.

–Por lo que sé, todavía no has construido en tu

terreno –dijo él mientras miraba por la ventanilla. Estaba oscuro y no había mucho que ver.

–Exacto. No me hace falta. Tengo un montón de primos y hermanos con habitaciones de invitados en sus casas. Y también está la casa de Gemma, que casi siempre está vacía desde que vive en Australia.

Walker no dijo nada, pero se figuró que uno debía hartarse de ir rodando de habitación de invitados en habitación de invitados.

–Pero algún día construirás una casa para ti, ¿no?

–Sí, algún día. Ahora Ramsey utiliza una parte de mi finca para la cría de ovejas, pero eso no será un obstáculo cuando decida empezar. Sé exactamente dónde quiero que esté la casa, bastante lejos de los pastos.

–Seguro que será una casa muy bonita cuando la construyas.

–Zane eligió los terrenos que pondría a mi nombre. Están junto a su finca, entre la de Ramsey y la de Dillon –soltó una risita–. Lo hicieron a propósito, así Zane podría vigilarme. Y Dillon y Ramsey son las únicas dos personas a las que hago caso.

–¿En serio?

–En general, sí; aunque algunas veces no hago caso a nadie.

Walker no pudo evitar sonreír. Estaba claro que Bailey era una rebelde, era parte de su encanto. Eso y su sensualidad. Dudaba que ella supiera lo sensual que era. Sería la ruina de cualquier hombre si se lo propusiera.

La camioneta se detuvo.

—Hemos llegado.

Gracias a la luna llena y a la luz de las estrellas, Walker distinguió el lago. Las aguas estaban tranquilas y se extendían hasta más allá de donde alcanzaba la vista.

—Y este supongo que es Gemma's Lake, ¿he acertado?

—Sí. Raphael le puso ese nombre por mi bisabuela. No los conocí ni a ellos ni a mis abuelos, murieron todos antes de que yo naciera, pero nos dejaron un legado del que estar orgullosos.

Walker pensó en el legado de sus propios padres y de sus abuelos y bisabuelos, al que él había dado la espalda para perseguir un sueño que, en realidad, no era suyo, sino de Kalyn. No volvería a permitir que una mujer tuviera tanto poder sobre él.

Entonces ¿qué hacía allí? Bailey se había presentado en la partida de cartas, le había sugerido que se marchara y él había obedecido. ¿Por qué? ¿Estaría dejando que una mujer tomara decisiones en su lugar... otra vez?

La miró. Ella miraba al frente y se preguntó qué estaría pensando. Miró hacia el lago, reinaba la tranquilidad. Le gustaba estar allí con Bailey, compartiendo ese momento.

Era muy consciente de que se sentían atraídos el uno por el otro, aunque hasta el momento ninguno había pasado a la acción. Sin embargo, el deseo estaba ahí, presente.

Debía ser sincero. La noche anterior no se habían encontrado por casualidad. Él sabía que Bailey terminaría apareciendo en casa de Dillon en algún momento y se había quedado fuera, junto al establo, para hacerse el encontradizo.

Le preocupaba el efecto que causaba en él, por eso había cambiado de planes y había adelantado su marcha al sábado después de la ceremonia. Nunca volvería a casarse, todo lo que podía ofrecer a Bailey era una aventura, y eso no sería bueno para ella. Además, podía frustrar la incipiente amistad con su familia.

—¿De qué querías hablar? —cuanto antes terminaran, antes se marcharían de allí. Estar a solas con Bailey podía traer problemas.

Ella había bajado un poco la ventanilla y el aire frío llevó hasta Walker su perfume. Aunque apenas podía distinguir sus rasgos a la luz de la luna, sabía que era preciosa. Debía recordarse a sí mismo que se merecía algo mejor que una mujer que podía ser otra Kalyn.

—De anoche. Te debo una disculpa, te acusé injustamente.

Él sabía que era así, pero ¿qué le había hecho cambiar de opinión?

—Deberías ser más prudente y no sacar conclusiones precipitadas.

Bailey esperó unos segundos antes de contestar.

—Lo sé, mi familia me lo recuerda continuamente.

—Pues deberías hacerles caso.

–Lo intento.

Su tono compungido provocó una oleada de deseo en Walker. Este se vio obligado a cambiar de postura para aliviar la presión que notaba en la entrepierna.

–Entonces tienes que esforzarte más.

¿Por qué Walker le resultaba tan diferente de los demás hombres? Tenía la habilidad de recordarle que era una mujer.

Las relaciones personales no eran su fuerte. La mayoría de los chicos de la zona tenía miedo de sus hermanos y ni se les ocurriría acercarse, por eso solo había tenido un amante. Y con uno había bastado; además, lo había hecho más por curiosidad que otra cosa. Desde luego, no había sentido el tipo de deseo sexual que le despertaba Walker.

Siempre que él estaba cerca, sentía un revoloteo en la boca del estómago, para no mencionar el calor que notaba entre las piernas. En ese instante, solo por estar sentada junto a él, sentía un hormigueo en los pezones.

El paseo nocturno no había sido buena idea.

–No soy perfecta –dijo con suavidad.

–Nadie lo es –respondió Walker con voz ronca.

Bailey dio un respingo cuando él le rozó la mejilla con el dedo y reprimió el gemido que estuvo a punto de salir de sus labios.

–No te he traído aquí para esto, Walker. No quiero que saques conclusiones erróneas.

–Muy bien, ¿cuáles son las acertadas? ¿Por qué me has traído aquí?

Ella estaba nerviosa y se humedeció los labios con la lengua.

–Para pedirte disculpas.

–Disculpas aceptadas.

Entonces inclinó la cabeza hacia ella y tomó posesión de su boca.

Capítulo Cinco

Walker profundizó el beso, aunque trataba de convencerse de que no debería estar besándola, no debería estar enroscando su lengua en la de Bailey.

Pero no quería que terminara. Para ser sincero, había esperado ansiosamente ese momento desde el día que ella había ido a buscarlo al aeropuerto y se había fijado en sus labios. Deseaba probarlos y esa era su oportunidad.

La lengua de Bailey lo estaba volviendo loco. Le despertaba un impulso sexual tan salvaje que quería devorar cada centímetro de ella. ¿Cuándo había besado así a una mujer, con esa crudeza?

Le hundió los dedos en la melena y retuvo su boca mientras la suya lamía, succionaba y devoraba cada centímetro. El beso era tan increíblemente placentero que le dolían los testículos. Si no le ponía fin, iba a entregarse por completo.

De mala gana interrumpió el beso, pero no alejó su boca de la de ella. Notaba el aliento húmedo y dulce en sus labios y le gustaba. Le gustaba tanto que cedió a la tentación y dejó que su lengua recorriera el perfil de los labios de Bailey. Descendió por el cuello hasta la clavícula antes de regresar a la boca.

Ella abrió los ojos lentamente y lo miró. Él deseo que la camioneta tuviera un asiento trasero y se imaginó todas las cosas que le haría Bailey.

–Eso sí que es aceptar –susurró ella contra la boca de Walker.

–¿Aceptar qué?

–Mis disculpas. Debería disculparme más a menudo.

Él se rio y se alejó un poco para poder mirarla a los ojos.

–¿Metes mucho la pata?

–Eso dicen, pero ¿sabes una cosa? Me gusta mucho más que tú me metas la lengua.

Walker empezaba a respirar con dificultad.

–No te preocupes, eso puede arreglarse.

Se inclinó hacia delante y la besó de nuevo, con más intensidad que la vez anterior. El recuerdo de ese beso lo acompañaría en las frías noches de Kodiak, cuando se sentaba delante de la chimenea con la única compañía de una cerveza.

Bailey se estremeció entre sus brazos. Él nunca había besado a una mujer que lo excitara tanto y habría seguido haciéndolo si no hubiera notado que los dedos de Bailey buscaban a tientas los botones de su camisa. Tenía que poner fin a aquello o de lo contrario los arrastraría.

Dejó de besarla y apoyó la frente contra la de ella. Sentía un deseo crudo, primitivo. Hacía años que una mujer no le provocaba esa necesidad de poseerla.

–No te he traído aquí para esto, Walker.

–Eso ya me lo has dicho.

Seguía sin apartar su frente de la de ella. Era maravilloso notar la boca de Bailey tan cerca de la suya, en cualquier momento podría lamer sus labios.

–Te lo vuelvo a decir. Solo quería que habláramos.

Él sonrió.

–¿Nada más?

–Eres el típico hombre: siempre dispuesto para un revolcón.

–No creas, tengo un gusto muy exigente. Y hablando de gusto –se echó ligeramente hacia atrás para mirarla a los ojos–, me encanta cómo sabes.

¿Qué debía responder una mujer ante un comentario así? Lo que había dicho Chloe era cierto. Las interpretaciones de Walker en sus dos películas eran de premio. El hombre que había visto en la pantalla era una persona completamente distinta: sexy, rompecorazones… Las escenas de cama eran memorables, y había pensado que le gustaría protagonizarlas junto a él. Pues ahí estaba, en la oscuridad, viviendo su propia escena.

–Quería hablarte de algo más, Walker.

–¿Ah, sí?

–Sí.

–¿Puedo besarte antes?

Bailey sabía que no debía permitirlo. Apenas podía pensar, su cerebro se estaba derritiendo mientras él le frotaba el labio inferior con el pulgar, suavemente.

—Sí, Walker, puedes.

Era todo lo que él necesitaba escuchar. Se inclinó sobre ella y succionó su lengua. Bailey gimió: la estaba consumiendo. Le hacía sentir un deseo desconocido. Exigía que le entregara su boca como no lo había hecho ningún hombre.

Lo besó a su vez con la misma codicia. En ese instante era suyo, y era real, no estaba actuando. El director que los dirigía era su propio deseo, que al parecer se había impuesto a ellos mismos.

La mano de Walker se introdujo debajo de su jersey y le acarició el abdomen. Ella gimió y se estremeció. Cuando él retiró su boca de la de ella, Bailey le lamió los labios con la lengua. La mano de Walker inició un camino ascendente por las costillas hasta alcanzar su pecho. Ella respiró hondo cuando las yemas de sus dedos comenzaron a trazar círculos sobre el sujetador a la altura de los pezones. Estos se endurecieron y enviaron una señal a su entrepierna. Cuando Walker le sacó el jersey, su cuerpo se arqueó hacia él.

Como si supiera lo que ella quería, lo que necesitaba, soltó el cierre frontal del sujetador. En cuanto los pechos de Bailey quedaron libres, llevó hasta ellos su boca. Los pezones estaban duros y él los devoró con avidez; ella empezó a lanzar gemidos guturales.

Cuando Bailey notó la piel del asiento en la espalda, se dio cuenta de que la había tumbado. Llevó las manos a su camisa y empezó a desabrocharle los botones. Necesitaba tocarle como él a ella. Instantes más tarde, sus dedos se recrearon en el vello que le cubría el pecho.

Oyó que Walker gruñía y segundos después la mano de este le capturaba ambas muñecas y las inmovilizaba mientras empezaba a lamerle el abdomen. Cuando llegó al ombligo, hundió allí la lengua. Los músculos de su abdomen se contrajeron.

Él alzó la cabeza y la miró.

—Levanta las caderas, Bailey —susurró.

Ella hizo lo que le decía. Walker le bajó los vaqueros hasta las rodillas y con los dedos rasgó la mínima braguita de encaje que le cubría el sexo. El corazón le latía con fuerza y deseaba complacerla, con todas sus fuerzas. Quería que tuviera un motivo para acordarse de él.

Inclinó la cabeza y deslizó la lengua dentro del sexo de Bailey. Su sabor era delicioso. Ella empujó contra sus hombros y, segundos después, se aferró a su cabeza para asegurarse de que la boca de Walker no se moviera de allí. La lengua de este se hundió más profundamente; lamía y succionaba su sexo.

Ella alzó las caderas y él le sujetó las nalgas con fuerza mientras la devoraba, tal como había soñado todas las noches desde su encuentro en el aeropuerto.

Al cabo de unos momentos, cuando notó que el cuerpo de Bailey se tensaba y se estremecía, lentamente fue replegando la lengua, pero antes de retirarse del todo, frotó la flor de su feminidad con los labios, como si quisiera dejar allí su impronta.

–Walker…

–Sí, nena. Aquí estoy –se incorporó con cuidado y la besó.

Cuando Walker puso fin al beso, ella continuó tendida sobre el asiento de la camioneta, atrapada en una maraña de sensaciones que la habían dejado débil pero completamente satisfecha. Nunca había experimentado nada semejante a lo que Walker le había hecho sentir. El placer había sido tan intenso que quizá nunca se recobrara del todo. No sabía que un hombre y una mujer pudieran alcanzar aquellas cimas.

–Será mejor que nos vayamos –Walker habló con suavidad mientras le subía la cremallera de los pantalones y a continuación depositó un beso en su ombligo.

Bailey murmuró su nombre.

Él le abrochó el sujetador y le metió los pechos dentro de las copas, no sin antes lamerle los pezones. Luego le bajó el jersey y la ayudó a sentarse.

–Tienes unos pechos preciosos, ¿lo sabes?

Ella sacudió la cabeza. No, no lo sabía. Ningún hombre le había dicho aquello; claro que ninguno había tenido motivos para hacerlo. Respiró hondo, reclinó la cabeza en el asiento y cerró los ojos. ¿Acababa de tener un orgasmo con un hombre que le había comido el sexo dentro de un coche aparcado?

–El lago está bonito esta noche.

¿Cómo podía Walker hablar del lago después de haberla llevado a aquel frenesí sexual? Y ni siquiera le había hecho el amor, tan solo le había dado un aperitivo. Podía imaginarse lo que sería la cena completa.

Le estaba dando tiempo para recuperarse. Bailey respiró hondo.

—Sí, es bonito. Me gusta venir aquí cuando necesito pensar.

Miró a Walker y vio que seguía con la camisa desabrochada. Eso le recordó cómo su lengua le había lamido el pecho.

—Lo de esta noche ha estado mal, Bailey, pero no me arrepiento.

Ella tampoco. Lo único que lamentaba era no haber llevado las cosas más lejos.

—¿Y por qué ha estado mal?

—Porque te mereces algo más que una aventura, y eso es todo lo que puedo ofrecerte.

—¿Qué te hace pensar que quiero algo más, Walker? Tampoco yo busco relaciones serias. Pueden volverse conflictivas.

—¿A qué te refieres?

—Los hombres tienen tendencia a volverse posesivos, territoriales. Actúan sin pensar. Créeme, lo sé muy bien. Me he criado junto a doce de ellos. Por eso tengo mis propias normas.

—En ese caso, si no te implicas en relaciones serias, ¿qué haces? Me imagino que ligas.

—Cuando me conviene —no había necesidad de que él supiera que nunca había tenido novio—. Me imagino que tú también ligas.

–Sí, cuando me conviene –repitió lo que ella había dicho.

–Entonces, nos entendemos.

–Me imagino que podemos decirlo así –Walker hablaba mientras se abrochaba los botones de la camisa–. Por cierto, he decidido volver a Kodiak el sábado, después de la boda, en vez de hacerlo el lunes.

Ella abrió la boca, sorprendida.

–¿Te vas el sábado? ¿Por qué?

–No necesito más tiempo. Ya sé lo que voy a decirles a los Outlaw. Tu familia es buena gente, y Garth y sus hermanos se lo perderán si deciden escuchar a Bart y no venir a conoceros.

–Necesito que te quedes hasta el lunes… por lo menos.

–¿Por qué?

Bailey sintió que debía elegir con cuidado las palabras.

–Antes te he dicho que necesitaba hablar de algo contigo.

–Sí, ya me acuerdo.

–Pues es que necesito pedirte un favor.

–¿Qué clase de favor?

Bailey se mordió el labio inferior. Estaba nerviosa.

–Hoy me he enterado de que antes eras actor: Ty Reklaw.

Él se quedó callado un momento antes de responder.

–¿Y qué tiene que ver eso con que me quede hasta el lunes?

Bailey percibió una nota de fastidio en su voz y

tuvo la sensación de que no le gustaba que le recordaran su pasado.

–Me ha parecido entender que cuando dejaste Hollywood y regresaste a Alaska estabas en la cima de tu carrera. Siento mucho lo de tu familia; tiene que haber sido una época muy difícil de tu vida.

Como Walker no decía nada, continuó.

–Han pasado diez años y tú sigues solo, en tu isla. Resulta que *Simply Irresistible* va a publicar un reportaje sobre hombres que han elegido la soledad, y me gustaría que el artículo principal fuera sobre ti.

Él no dijo nada, se limitó a mirarla fijamente. Ella tragó saliva. Dudó un segundo antes de preguntar.

–¿Aceptas? ¿Puedo concertar una entrevista con una de nuestras redactoras?

Entonces la luz de la luna le permitió ver que él apretaba con fuerza la mandíbula y tenía un brillo de rabia en la mirada.

–No. Y no sé cómo tienes tanto descaro. ¿Por eso me has traído aquí? ¿Hasta dónde pensabas llegar para lograr que aceptara?

Ella entrecerró los ojos.

–¿Estás insinuando que te he seducido para conseguir una entrevista?

–¿Por qué no? Me han asediado muchos periodistas que harían cualquier cosa con tal de sacar una historia.

–Pues yo no trabajo así. Si te he traído aquí, ha sido para disculparme por mi comportamiento de anoche. Y, además, quería pedirte un favor.

–¿Y por qué piensas que voy a aceptar una entrevista? Me marché de Hollywood por una razón concreta y no he vuelto. ¿Por qué iba a querer revivir esos años?

–Te equivocas. El artículo que queremos publicar no tiene nada que ver con tu época de Hollywood. Eres un solitario y lo que queremos es averiguar por qué algunos hombres eligen vivir de esa forma.

–¿Se te ha ocurrido pensar alguna vez que no todo el mundo necesita estar constantemente rodeado de gente? Yo no soy ningún ermitaño. Tengo amigos, buenos amigos. Amigos que saben respetar mi privacidad cuando es necesario. Y es su compañía la que elijo.

–Sí, sin embargo…

–No lo entenderías. Tú dependes de tu familia para ganarte la vida, para estar contenta… Son la razón de tu existencia. Seguramente por eso una de tus normas es no alejarte demasiado de ellos.

Aquellas palabras indignaron a Bailey.

–¿Y hay algo de malo en eso?

–No, si es así como quieres vivir. No es asunto de nadie. No sé por qué crees que yo voy a querer divulgar a los cuatro vientos la forma como he elegido vivir tras perder a las dos personas más importantes de mi vida.

–Si me dejas terminar, puedo explicarte lo que…

–No hay nada que explicar. Te acaban de ascender necesitas una historia. Lo siento, me niego a ser yo. Vete a buscar otra por ahí.

***

Al cabo de una hora aproximadamente, Walker se hallaba de vuelta en su habitación y todavía le resultaba difícil de aceptar la tranquilidad con la que Bailey le había pedido aquel favor.

Meneó la cabeza: era imposible estar más enfadado de lo que lo estaba en ese momento. Se había prometido no caer en las redes de ninguna mujer que mostrara el mismo poder de persuasión de Kalyn. Sin embargo, después del primer beso, había caído rendido a los pies de Bailey.

No se trataba de cualquier mujer. Era la única que había conseguido que no se atuviera a una de sus propias normas: no permitir que se le acercaran. Le había hecho sentir demasiadas cosas.

Oyó que en el piso de abajo se abrían y cerraban puertas y se figuró que la partida habría acabado.

Más le valía seguir fiel a sus principios. Bailey podía llamarlo «ser un solitario», pero él sabía que se trataba únicamente de sobrevivir.

Bailey echó un vistazo a su reloj de pulsera cuando se bajó de la camioneta en Ramsey's Web. La mayor parte del día había estado ocupada con reuniones para conocer a los redactores y periodistas a su cargo y explicarles su manera de trabajar.

Sin embargo, por muy ocupada que hubiera estado, se había pasado el día pensando en Walker. Todavía le molestaba que él hubiera insinuado que utilizaba su cuerpo para conseguir lo que deseaba. Ella no jugaba con esas cosas. Así que, a su modo de ver, los dos se habían pasado de la raya. Sin embargo, debía recordar que Walker era un invitado de su familia, y lo último que deseaba era ofenderlo. Sus hermanos y sus primos no se lo perdonarían.

Necesitaba hablar con alguien del tema antes de volver a ver a Walker, y las dos personas a las que siempre acudía cuando necesitaba un consejo eran Dillon y Ramsey. Como en casa de Dillon podría tropezarse con Walker, había acudido a Ramsey's Web.

Encontró a su hermano mayor en el garaje, con la cabeza hundida bajo el capó de su todoterreno.

–¡Bay! ¿Qué tal va eso?

Era su hermano mayor y siempre se daba cuenta si ella no le decía la verdad.

–Se trata de Walker.

Él enarcó una ceja.

–¿Qué pasa con Walker?

Bailey se miró las puntas de los zapatos un instante antes de levantar la vista de nuevo hasta los ojos de su hermano.

–Creo que le he ofendido.

Ramsey cruzó los brazos sobre el pecho y, por su expresión, ella comprendió que aquello no le gustaba nada.

–¿Cómo?

–Es una historia larga.

–Empieza desde el principio. Tengo tiempo.

Bailey le explicó con detalle toda la historia, aunque dejó fuera algunas partes, como que Walker le había parecido atractivo desde el principio, que ambos habían tratado de no dejarse llevar por la química que había entre ellos y que la noche anterior se habían enrollado en su camioneta.

–A ver si lo he entendido bien. Averiguaste que Walker había sido una estrella de cine que se marchó de Hollywood tras la muerte de su mujer y de su hijo ¿y aun así querías entrevistarle y que te hablara de por qué se convirtió en un solitario?

Sonaba como si su hermano no pudiera creer que hubiera hecho algo semejante.

–Pero no íbamos a abordar la historia desde ese ángulo –se defendió–. *Simply Irresistible* no es sensacionalista. No me interesan los detalles de su vida en Hollywood. A las mujeres les intrigan los solitarios, les parecen misteriosos y quieren saber más sobre ellos. Se me ocurrió que Walker era el caso perfecto: lleva diez años viviendo solo en su rancho de Alaska. Me pareció que podría arrojar algo de luz sobre qué significa ser un solitario.

–Piensa un poco lo que le estabas pidiendo, Bay… Invadir su espacio, curiosear en su vida y divulgar lo que seguramente él prefiere que siga siendo privado. Un plan bastante desconsiderado, ¿no crees?

Visto de esa manera, desde luego que lo era. Ella había visto la oportunidad y se había lanzado sin pensar demasiado.

–Pero habría dejado fuera su vida en Hollywood. Lo que me interesa es la faceta de solitario, eso es lo que intenté explicarle.

–¿Y cómo planeabas separarlas? Nuestro pasado determina en qué nos convertimos después. Mírate a ti. Igual que él, sufriste una doble pérdida. Cuádruple, para ser exactos. Y mira tu manera de reaccionar. ¿Te gustaría que apareciera alguien y quisiera entrevistarte sobre el tema? ¿Cómo puedes definir a la Bailey que eres hoy sin referirte a la que fuiste, y a lo que te hizo crecer y convertirte en lo que eres?

La pregunta la dejó pensativa.

–Y me parece que has pasado por alto algo importante –añadió.

Ella enarcó una ceja.

–¿Qué?

–Asumes que ser un solitario significa ser un antisocial. Puedes ser un solitario y seguir estando cerca de los demás. Todo el mundo necesita un poco de espacio propio. Algunos más que otros. Un buen ejemplo sería yo antes de conocer a Chloe. A pesar de teneros a todos conmigo aquí en Westmoreland Country, guardaba algo para mí solo. Por la noche, cuando venía aquí, no quería que nadie invadiera mi espacio.

–Pero yo solía hacerlo.

–Sí, es cierto, pero tus visitas nunca me molestaron. Lo que quiero que comprendas es que no todo el mundo necesita tener siempre gente alrededor. Hay personas que se hacen compañía ellas solas, y están bien.

–Parece que voy a tener que disculparme de nuevo con Walker.

–Va a ser un poco difícil.

–¿Por qué?

–Por que se ha marchado esta mañana.

–¿Marchado?

–Sí, a Alaska. Zane lo llevó al aeropuerto a mediodía.

–Pe-pero si iba a quedarse a la boda…

–Dijo que había sucedido algo en el rancho y tenía que irse.

Ramsey no lo dijo, pero ella sabía que lo estaría pensando. La marcha de Walker no tenía nada que ver con el rancho, sino con ella.

–Muy bien. Se ha ido, pero yo pienso pedirle disculpas de todos modos.

–Yo, en tu lugar, no le pediría a Dillon el número de teléfono de Walker, sobre todo si piensas contarle la historia que me acabas de contar a mí.

Bailey se mordió el labio. ¿Cómo iba a salir del lío en el que se había metido?

Capítulo Seis

–Dime otra vez por qué has adelantado tu regreso.

Walker miró a su mejor amigo, cómodamente sentado en el otro extremo de la cocina. Garth disfrutaba devorando un tazón de cereales.

–Ya te lo he explicado. Los Westmoreland son gente legal, no necesitaba prolongar mi estancia. Tus hermanos y tú tendríais que tomarles en serio. Son buenas personas.

Se dirigió a la pila con la pretensión de aclarar su taza de café. Lo que le había dicho a Garth sobre los Westmoreland era verdad… si se dejaba aparte a Bailey.

Apretó la mandíbula con fuerza al recordar cómo se había dejado seducir. Era el tipo de mujer que podía colarse fácilmente en el corazón de un hombre.

Para colmo, tenía agallas. Había tenido el descaro de pedirle que se sometiera a una entrevista. Estaba acostumbrada a salirse con la suya, pero él no era ni su hermano ni su primo. No tenía ningún motivo para concederle lo que deseaba.

–¿De verdad jugaste a las cartas con Thorn Westmoreland? –preguntó Garth. Sonaba impresionado.

–Sí –respondió Walker por encima de su hombro–. Sí, nos habló de la bicicleta que está fabricando para un famoso.

–¿En serio? ¿Le contaste que antes eras actor y que conoces a muchos de esos tipos de Hollywood?

–No.

–¿Por qué no?

–Yo iba a averiguar cosas sobre ellos, no al revés, Garth. Lo único que necesitaban saber de mí es que soy un amigo de los Outlaw y que iba de buena fe.

–Creo que seguiré tu consejo y propondré a los demás que vayamos a hacer una visita a esos Westmoreland. La verdad es que lo estoy deseando.

–No te decepcionarán –dijo Walker, y abrió el lavavajillas para meter dentro su taza–. ¿Cómo vas a decírselo a Bart? ¿Tienes idea de por qué es tan reacio a que entréis en contacto con tus nuevos primos?

–No, pero no importa. Tendrá que asimilarlo –Garth miró su reloj–. Odio tener que salir corriendo, pero tengo una reunión en Fairbanks dentro de tres horas. El tiempo justo para que Regan vuele hasta allí y me deje en la oficina.

Regan Fairchild era el piloto de Garth desde hacía dos años. Había reemplazado a su padre en el puesto de piloto de la compañía de los Outlaw. Mientras atravesaban el salón camino de la entrada, Garth insistió.

–Cuando quieras contarme por qué te marchaste de Denver antes de lo previsto, me avisas. No te olvides de que leo en ti como en un libro abierto.

–No pierdas el tiempo. Búscate otro libro.

De pronto sonó el timbre de la puerta.

–Debe de ser Macon –dijo Walker–. Tenía que venir hoy para ver el tractor que quiere comprarme.

Abrió la puerta y se quedó petrificado al ver de quién se trataba.

–Hola, Walker.

–¡Bailey! ¿Se puede saber qué estás haciendo aquí?

En lugar de contestar, ella se quedó mirando a Garth.

–Oye, eres igualito que Riley –dijo, y sonrió.

Garth le devolvió la sonrisa.

–Y tú te pareces a Charm.

Ella soltó una risita.

–No, Charm es la que se parece a mí.

–Perdón por interrumpir vuestra conversación, pero ¿qué estás haciendo aquí, Bailey? –preguntó Walker en tono de fastidio.

–Está claro que ha venido a verte, así que yo desaparezco. Además, no puedo faltar a esa reunión –aseguró Garth, y salió fuera. Miró a Walker con una expresión que claramente quería decir «tendrás que explicarme muchas cosas». Luego se dirigió a Bailey–: Bienvenida a Hemlock Row. Les diré a todos que estás aquí. Espero que Walker te lleve a Fairbanks.

–No estés tan seguro –masculló Walker, pero Garth no lo oyó porque ya se estaba metiendo en su coche, aparcado delante de la puerta. ¡Y aún tenía el descaro de dar la bienvenida a Bailey en su propia casa!

Walker se concentró de nuevo en Bailey mientras trataba de no pensar en lo guapa que estaba y en el cosquilleo que sentía en la boca del estómago.

–Te lo pregunto por tercera vez: ¿qué estás haciendo aquí?

Bailey se abrazó tratando de no temblar.

–¿Podrías invitarme a pasar primero? Hace frío aquí fuera.

Él vaciló, como si de verdad estuviera considerando hacer lo contrario, y luego se apartó para dejarla entrar. Ella se apresuró a hacerlo y cerró la puerta. Llevaba encima el doble de ropa de la que se pondría en Denver y aun así estaba helada.

–Vamos a la chimenea para que entres en calor.

–Gracias –dejó en el suelo la mochila que llevaba y se quitó el abrigo, la chaqueta y los guantes.

En lugar de alquilar un coche, había optado por tomar un taxi. El taxista era hablador y le había explicado que Walker casi nunca recibía visitas. Le contó que se acercaba una tormenta de nieve y que había llegado justo a tiempo para no verse atrapada en ella.

Al ver Hemlock Row Bailey contuvo la respiración, era como una gigantesca tarjeta postal: rodeada de nieve, completamente aislada. La casa más cercana por la que habían pasado debía de quedar a unos veinte kilómetros de allí.

–Bébete esto –Walker le tendía una taza humeante.

–Gracias.

Bebió un sorbo. Era una mezcla de café y chocolate caliente con una gota de té. Una delicia, igual que mirar a Walker, de pie delante de ella, descalzo, con un jersey de cuello vuelto y los vaqueros marcándole las caderas. Llevaba una semana sin verlo, una semana pensando en él, decidida a viajar a la isla de Kodiak, en Alaska, para disculparse en persona.

–Bueno, ahora que has entrado en calor, ¿qué te parece si me cuentas qué haces aquí?

–He venido a verte porque te debo una disculpa por pedirte que participaras en ese reportaje.

–No tendrías que haberte molestado en venir. Nada que de lo que hagas o digas me hará cambiar de opinión sobre ti.

–No creía que fueras tan moralista. Mira, Walker, mis intenciones eran buenas y he venido hasta aquí para disculparme en persona.

–Pues ya lo has hecho, ahora puedes irte.

–¿Irme? ¡Pero si acabo de llegar! El vuelo de regreso a Denver es dentro de cuarenta y ocho horas.

–Entonces te sugiero que te quedes con tus primos en Fairbanks. Aquí no eres bien recibida, Bailey.

A Walker le sorprendió la dureza de sus propias palabras. Se arrepintió nada más pronunciarlas. Entonces recordó lo amables que se habían mostrado los Westmoreland con él, un completo desconocido.

Bailey dejó la taza sobre la mesa y se puso la chaqueta antes de tomar su abrigo.

–¿Se puede saber qué haces?

–¿A ti qué te parece? Marcharme. No suelo quedarme donde no me quieren.

–Olvida lo que te he dicho, estaba furioso.

–Y sigues estándolo. No he venido hasta aquí para que me agredas verbalmente. Tal vez no sea buena idea que me quede –dijo al sentir el magnetismo sexual que siempre surgía entre ellos.

Walker exhaló un suspiro. Bailey tenía razón, no era buena idea, pero era demasiado tarde para pensar en eso.

–Se está echando encima una tormenta, así que no importa si es o no buena idea.

–A mí me importa, si no me quieres en tu casa.

Él se restregó la cara con una mano tratando de calmarse.

–Mira, me parece que podemos tolerarnos mutuamente durante cuarenta y ocho horas. Además, esta casa es tan grande que dudo que nos encontremos –la alojaría en la habitación de invitados del ala sur. Esa parte de la casa no se utilizaba desde hacía quince años–. ¿Dónde está tu equipaje?

–Me lo han perdido, pero los de la compañía aérea me han dicho que me lo entregarán en las próximas veinticuatro horas.

–Puedo prestarte un par de camisetas para dormir.

–Gracias. Me gustaría echarme un rato, el vuelo desde Anchorage ha sido bastante movido.

–Así suele ser, por desgracia. Te enseñaré tu habitación, ven conmigo.

Capítulo Siete

La despertó el ruido de un portazo. Al principio no podía recordar dónde estaba.

Se sentó en la cama. Ir hasta allí no había sido buena idea, después de todo. Sin embargo, necesitaba disculparse personalmente con él.

Oyó otro portazo y miró el reloj de la mesilla. ¿Había dormido cuatro horas? Un olor delicioso llegó hasta ella. Al parecer, Walker había hecho la cena. Su estómago rugió de hambre y decidió levantarse y bajar a la cocina.

Se levantó, se refrescó brevemente en el cuarto de baño y, al cabo de unos minutos, salió de su cuarto y empezó a bajar la escalera.

Walker miró el reloj de la cocina, levantó la tapa de la cazuela y removió el guiso. Había cocinado doble cantidad. Tendría que haber ido a revisar los rebaños y comprobar que estaban a buen recaudo y que todo estaba preparado para la ventisca que se avecinaba. En su lugar, había mandado a Willie, el capataz.

Volvió a pensar en Bailey. Seguramente, la verdadera razón de su presencia allí era convencerlo para que aceptara la entrevista; lo de disculparse era solo una excusa. Por supuesto, había perdido el tiempo, él no pensaba cambiar de opinión, pero debía admitir que presentarse allí había sido un movimiento valiente, valiente y temerario. El día que se conocieron le había advertido que los inviernos en Alaska eran mucho peores que en Denver. Evidentemente no la había impresionado, pero acababa de descubrirlo por sí misma: había llegado allí casi helada. Bailey junto a la chimenea, tratando de entrar en calor mientras se iba desprendiendo de sucesivas capas de ropa era una imagen atractiva, a pesar de todo.

—Lo siento, me he quedado dormida.

Walker se dio la vuelta para mirarla. Iba vestida igual que antes, pero no llevaba ni gota de maquillaje y se había recogido el pelo en una coleta. Así parecía más joven y sexy y él notó un latido en la parte baja de su cuerpo.

—No pasa nada —dijo, y volvió a concentrarse en el guiso.

Había visto suficiente, demasiado. Se le ocurrían ideas extrañas, como que le gustaba verla allí, en su cocina. Kalyn nunca había estado en Hemlock Row. Se había negado a conocer Kodiak, decía que era un sitio salvaje, al que nunca había llegado la civilización. No quería viajar a un sitio tan lejano, ni mucho menos pensar en vivir allí. Era la típica chica de California: playas, huertos de naranjas y Hollywood. Lo demás no le interesaba.

–Huele bien.

Walker sonrió para sus adentros. ¿Era su forma de decirle que tenía hambre?

–Guiso de búfalo, receta de mi abuela.

–Entonces se explica que huela tan bien.

«Muchos cumplidos», pensó Walker. «Algo quieres conseguir».

En ese momento el móvil sonó.

–Hola, Willie, ¿pasa algo?

–Sí, jefe. Es Marcus –Willie sonaba muy nervioso–. Un oso lo ha arrinconado en una choza y no conseguimos que se marche. Hemos hecho varios disparos al aire, pero el bicho no se mueve de allí.

–Maldita sea. Salgo para allá –se dirigió hacia el armario donde guardaba las parcas y las botas–. Tengo que marcharme –le dijo a Bailey, y le explicó lo que sucedía.

–¿Puedo ir contigo?

–Sí, pero mantente fuera del paso. Ponte el abrigo, gorro y bufanda. Rápido, mis hombres están esperando.

Bailey se apresuró a prepararse. Walker agarró un rifle del expositor y ella lo imitó.

–¿Qué haces?

–Tengo buena puntería. Tal vez pueda ayudar.

Él lo dudaba, pero no tenía tiempo para discutir.

–Yo creía que en invierno los osos hibernaban.

El todoterreno iba dando tumbos. Walker conducía a toda velocidad. Empezaba a nevar y el viento era helador.

–Bueno, todavía no ha entrado oficialmente el invierno y, además, este oso debe ser el mismo que nos dio problemas el año pasado. Es imprevisible.

Ella asintió. Aunque se suponía que en las Montañas Rocosas había osos, casi nunca se dejaban ver. Entonces recordó lo que le había dicho Walker el día que se conocieron, que en la isla de Kodiak vivían más osos que personas.

El todoterreno se detuvo bruscamente junto a tres hombres y Walker se bajó antes de que ella pudiera siquiera desabrocharse el cinturón.

–Quédate donde estás, Bailey.

Ella obedeció a regañadientes y observó. Los hombres de Walker señalaban la escena que se desarrollaba a unas decenas de metros de allí. Un oso enorme intentaba penetrar en una ruinosa cabaña, tratando de derribar a zarpazos las tablas de madera podrida. Si alguien no intervenía, pronto lo conseguiría, pero disparar contra el oso significaba poner en peligro la vida del hombre que se hallaba en el interior. Comprendió que Walker y sus hombres estaban trazando un plan para tratar de apartar al oso de la cabaña, y enseguida se dio cuenta de que Walker sería el cebo.

Vio, horrorizada, que él corría hacía la cabaña haciendo aspavientos para captar la atención del animal. Al principio este lo miró con indiferencia: con despedazar un par de tablones más, llegaría hasta su presa. El hombre que se hallaba en el interior gritaba con desesperación pidiendo ayuda.

Entonces Walker agarró una rama y se la lanzó al oso. Aquello distrajo al animal, que se giró hacia su atacante. Bailey contuvo la respiración. El plan era que Walker echara a correr, lo apartara de la cabaña y lo atrajera hacia sus hombres para que estos pudieran disparar. Parecía que había funcionado, hasta que Walker perdió el equilibrio y se cayó al suelo.

Bailey se bajó del todoterreno. Se colocó delante de los hombres y levantó su rifle para disparar.

—Imposible alcanzar al oso desde aquí, señora —dijo uno de ellos.

Ella no respondió. Si no hacía algo, Walker era hombre muerto. Apretó el gatillo apenas unos segundos antes de que el oso lo alcanzara. El enorme animal se desplomó y sonó como si la tierra temblara.

—¿Habéis visto eso? ¡Le ha dado!

—¿Dónde ha aprendido a disparar así?

Ella corrió hacia Walker.

—¿Estás bien?

—Sí. Me he tropezado y al caerme me dado con ese maldita roca.

Ella miró y vio una mancha de sangre que teñía el pantalón. Walker no estaba bien.

Se giró hacia sus hombres.

—Está herido. Quiero que entre dos lo levantéis en brazos y lo llevéis al todoterreno, y el otro que vaya a la cabaña. El hombre que está dentro debe de haberse desmayado.

–No os atreváis a tocarme. He dicho que estoy bien, puedo andar –insistió Walker.

–No con esa pierna –ella miró a sus hombres–. Llevadlo al coche –ordenó de nuevo.

Los empleados no sabían a quién obedecer. Al cabo de un momento, como si hubieran decidido que una mujer que disparaba tan bien tenía derecho a darles órdenes, fueron hacia Walker y lo levantaron en brazos, a pesar de los improperios que este les lanzaba.

–Voy a llamar al doctor Witherspoon para que venga –dijo uno de los hombres tras meter a Walker en el todoterreno–. Iremos detrás de ustedes, para meterlo en casa cuando lleguemos al rancho.

Ella se puso al volante.

–Gracias.

Miró a Walker, que se había quedado inconsciente, e intentó dominar el pánico que sentía. De todas las cosas a las que había pensado que tendría que enfrentarse en Alaska, no figuraba matar a un oso pardo.

Capítulo Ocho

Walker se despertó, pero volvió a cerrar los ojos al sentir el dolor de la pierna. Estaba en su cama. No le llevó mucho rato recordar por qué. El oso.

–¿Bailey? –llamó al oír que alguien se movía por la habitación.

–No está aquí –respondió una voz masculina y profunda.

–¿Doctor Witherspoon?

–¿Y quién va a ser? Últimamente solo te veo cuando te machacan.

–Nunca me han machacado.

–Esta vez sí. El oso te habría devorado si esa chica no hubiera estado allí.

Las palabras del médico hicieron recordar algo a Walker.

–¿Dónde está Bailey?

–En el aeropuerto.

«¿Se marcha a Denver?», pensó él.

–¿Cuánto tiempo he estado durmiendo?

–Más o menos cuarenta y ocho horas. Te he dado calmantes como para tumbar a un elefante.

Walker hizo memoria y recordó punto por punto lo que había sucedido el día del oso.

–¿Cómo se encuentra Marcus?

–Conmocionado por el susto, pero bien.

Walker asintió. Estaba tratando de no dejarse hundir por la tristeza que le provocaba la partida de Bailey. ¿Qué esperaba? ¿No le había dicho él que no era bien recibida en su casa? ¿Por qué se sentía descorazonado? La medicación debía de estar nublándole el entendimiento.

–Tienes un corte muy feo en la pierna –continuó el médico–. Muy profundo. Has perdido mucha sangre y te he dado cinco puntos. Debes apoyarla lo menos posible durante una semana y seguir mis instrucciones. Dentro de unos días volveré para echarte un vistazo.

–Como quiera.

Walker cerró los ojos y al cabo de un rato se quedó dormido. Cuando volvió a abrirlos, olió una colonia femenina. Giró la cabeza y vio a Bailey, sentada en una silla junto a la cama, leyendo un libro. Parpadeó para comprobar que no estaba soñando. No sería la primera vez que soñaba con ella, pero en sus sueños nunca estaba sentada junto a la cama, sino dentro de la cama… con él. Volvió a parpadear, pero Bailey no desapareció.

–El médico me dijo que te habías ido al aeropuerto.

Las miradas de ambos se encontraron y Walker se sintió turbado. ¿Por qué le parecía que la presencia de Bailey llenaba la habitación, por qué quería que se acercara más a la cama, a él?

–Es que he ido al aeropuerto a buscar mi equipaje.

Walker no podía explicar el alivio que lo invadió. Se sentía agotado y la pierna le dolía demasiado como para pensar con claridad.

–Creía que te habías marchado a Denver.

–Siento desilusionarte.

Él respiró hondo. Bailey había malinterpretado sus palabras, pero en lugar de sacarla de su error, preguntó:

–¿Y te lo han entregado?

–Sí, lo habían encontrado, pero ponían excusas absurdas para no traérmelo hasta aquí.

Seguro que Bailey les había echado una bronca monumental, pensó él.

–¿Quieres comer algo? Hay un guiso de bisonte buenísimo.

–Sí, gracias.

–Enseguida vengo.

Vio salir a Bailey y se llevó una mano a la barbilla, que le picaba. Necesitaba afeitarse.

Cuando estuvo solo, cerró los ojos y rememoró, paso a paso, con detalle, lo sucedido en la cabaña. El pensamiento que regresaba una y otra vez a su mente era que Bailey Westmoreland le había salvado la vida.

–Sí, Walker está bien. Tiene una herida en la pierna, le han tenido que dar puntos –explicó a Ramsey por teléfono–. Fue horrible tener que matar al oso, pero tenía que salvar a Walker.

–Has hecho lo que debías, Bay. Seguro que Walker está muy agradecido por tenerte ahí.

–Está en la cama y necesita ayuda. El médico quiere que guarde reposo. Tengo que hablar con Chloe y con Lucía: necesito tomarme unos días más de permiso, posiblemente una semana.

–Estás de suerte: Lucía está aquí, ahora te la paso. Cuídate.

–Lo haré. Os echo de menos.

–Y nosotros a ti. Aunque es agradable que te vayas por ahí unos días… –bromeó.

–Qué gracioso –sabía que su familia también la echaba de menos.

Al cabo de un breve rato, colgó. Chloe y Lucía entendían la situación y le dijeron que se tomara tanto tiempo como creyera oportuno.

Exhaló un suspiro y miró a su alrededor. Durante los últimos tres días se había familiarizado bastante con la cocina. Sabía dónde estaban las cazuelas y las sartenes y localizó un cuaderno de recetas que había pertenecido a la madre de Walker. En uno de los armarios encontró un álbum de fotos. Sonrió al ver fotos de la familia, gente que se figuró que serían sus padres y sus abuelos, pero no había ninguna foto de la boda de Walker, ni de su mujer o su hijo.

Miró por la ventana. Llevaba tres días nevando. Había conocido a los hombres que trabajaban para Walker, habían ido apareciendo para saludarla y presentarse, y le aseguraron que se harían cargo de todo. Muchos la miraban con asombro: la noticia de su encuentro con el oso se había propagado. Por el modo como hablaban de su jefe, se veía que eran leales y estaban orgullosos de él.

Walker no le permitía que lo ayudara a ir al cuarto de baño ni a lavarse, pero al menos seguía el consejo del médico y guardaba reposo. Alguien había llevado unas muletas, que utilizaba cuando se levantaba.

Cada vez nevaba con más intensidad, todo estaba cubierto por un manto blanco. Los hombres se habían asegurado de que hubiera madera en abundancia para la chimenea y ella había comprobado que la nevera y la despensa estaban bien surtidas, de modo que lo único que le quedaba por hacer era esperar a que transcurrieran los días y Walker se fuera recuperando.

Garth había telefoneado. Ella le había puesto al corriente de la situación y él le había dejado su número por si necesitaba algo o por si Walker no se portaba bien… aunque ella le había contado que su amigo se pasaba todo el día durmiendo. Y cuando estaba despierto, aparte de llevarle la comida y darle sus medicamentos, Bailey le dejaba disfrutar de su intimidad la mayor parte del tiempo.

«Pero hoy no va a ser así». Había que ventilar el dormitorio y cambiar las sábanas, así que Walker tendría que levantarse un rato.

Garth le había contado que Walker tenía una asistenta, Lola Albright, una mujer mayor que iba a hacer la limpieza una vez a la semana, aunque nevara. Bailey encontró el número de teléfono de la señora Albright en un cajón de la cocina y la llamó para decirle que no era necesario que fuera esa semana. La mujer ya se había enterado del incidente del oso y, tras felicitar a Bailey por su buena puntería, le agradeció que la hubiera llamado y se puso a su disposición en caso de que necesitara algo. La señora Albright y su marido eran los vecinos más cercanos, su granja se hallaba a unos quince kilómetros de la de Walker.

Bailey llenó un plato con la sopa de pollo que había preparado, lo puso en la bandeja y subió la escalera camino de la habitación de Walker. Abrió la puerta y se detuvo sorprendida al ver que él ya se había levantado y se encontraba sentado en la butaca.

Se fijó en que se había afeitado. Estaba igual de atractivo con barba que sin ella. Se había cambiado de ropa y ya parecía el Walker de antes. Aunque se alegraba de encontrarlo levantado, le molestó que no le hubiera pedido ayuda.

–Es hora de comer –anunció mientras entraba, y depositó la bandeja en la mesa auxiliar que había junto a la butaca.

Le habría gustado pensar que él contestaba «gracias», pero el sonido que salió de la garganta de Walker se parecía más a un gruñido. Ella atravesó la habitación y descorrió las cortinas.

–¿Se puede saber qué estás haciendo?

Sin darse la vuelta, ella continuó su labor.

–He pensado que te gustaría mirar el mundo exterior.

–Quiero las cortinas echadas.

–Lo siento, pero ya están descorridas.

Cuando se dio la vuelta, se encontró con una mirada gélida que haría temblar a cualquiera, pero ella se había criado con cinco hermanos varones y un montón de primos del mismo sexo, así que podía vérselas perfectamente con un hombre que no podía salirse con la suya.

–Me alegro de encontrarte levantado, tengo que cambiarte las sábanas –fue hacia la cama.

–Mañana vendrá Lola, mi asistenta, y se encargará de eso.

–He hablado con ella esta mañana y le he dicho que no era necesario que viniera, sobre todo con este tiempo. Mientras esté aquí, puedo encargarme de esas cosas.

Walker no dijo nada, pero Bailey se dio cuenta de que aquello no le había gustado nada. No le quitaba los ojos de encima mientras cambiaba las sábanas y, cuando acabó, la observaba con los labios apretados y una expresión severa.

–¿Sabes una cosa? Si insistes en poner esa cara de cascarrabias, a lo mejor un día ya no puedes cambiarla y te haces viejo con esa expresión.

Él frunció aún más el ceño.

–Hagas lo que hagas, no voy a cambiar de opinión respecto a la entrevista. Estás perdiendo el tiempo.

Ella soltó un bufido exasperado y fue hacia él. Se

puso delante y se inclinó un poco para que sus ojos estuvieran a la misma altura.

—¡Eres un canalla y un desagradecido!

Le lanzó algunos insultos más, sus acusaciones la habían sacado de quicio.

—¿Crees que estoy aquí por eso? ¿Que he matado a un oso y te estoy aguantando tan solo porque quiero conseguir una entrevista? Para que te enteres: ya no eres un candidato viable. A las mujeres les interesan los solitarios, pero si se trata de hombres decentes, no de amargados que no saben reconocer un gesto amable y…

Bailey no se esperaba lo que ocurrió a continuación. La mano de Walker atrapó un mechón de su melena y tiró hasta capturar su boca. La besaba con un deseo que la atravesó.

Se convenció de que el único motivo por el que estaba dejando que Walker la besara era para evitar moverse y hacerle daño en la pierna, pero de pronto se dio cuenta de que le devolvía el beso y gemía.

Debía admitir que por las noches había pensado en él. Recordaba cómo en Bailey's Bay su lengua había trazado un sendero húmedo hasta su pecho y luego había seguido bajando…

Su mente regresó bruscamente al presente al notar que la mano de Walker le levantaba la falda y rozaba la cara interior de sus muslos. Los dedos se deslizaron por debajo del elástico de sus bragas y se introdujeron en su interior.

Se estremeció y Walker introdujo más profundamente el dedo hasta llevarla al límite. Quería retroceder, pero no podía, así que se entregó a su caricia y lo besó con intensidad mientras los dedos de Walker le hacían cosas escandalosas.

–Córrete otra vez para mí, Bailey –susurró él sin separar los labios de los de ella.

Como si lo que le pedía fuera una orden, el cuerpo de Bailey obedeció. El pulso se le disparó y la sangre comenzó a rugir por sus venas. Explotó, todas sus terminaciones nerviosas vibraron con una intensidad que la aterrorizó. El orgasmo fue más potente que la vez anterior, y no fue capaz de contener el gemido que escapó de sus labios.

Entonces Walker se apoderó otra vez de la boca de Bailey y la besó con frenesí al tiempo que introducía los dedos más profundamente en su interior. Le gustaban sus gemidos cuando alcanzaba el orgasmo, le gustaba ser él quien los desencadenara. Y quería repetirlo. Al cabo de unos instantes, cuando Bailey se estremeció de nuevo y gimió, comprendió que lo había logrado.

Llevaba días queriendo hacer aquello. Cada vez que Bailey entraba en su cuarto, se odiaba por tener que permanecer tumbado en la cama y no poder besarla. La mayor parte de la veces se hacía el dormido, pero a través de los párpados entornados la observaba, la estudiaba y la deseaba.

Ese día, sin embargo, había sido diferente. Se había despertado con las hormonas disparadas, fuera de control. Se encontraba mejor, así que se levantó, se aseó y se sentó a esperarla. No planeaba besarla, pero tampoco se arrepentía de haberlo hecho.

Su garganta emitió un gruñido sordo y separó su boca de la de Bailey a la vez que sacaba los dedos del sexo de esta. Se quedaron mirándose fijamente y entonces Walker se llevó los dedos a los labios y se los chupó.

–Gracias por salvarme la vida –susurró. Le pareció que a ella le sorprendían sus palabras–. Y gracias por dejarme saborearte.

Cualquier hombre estaría encantado de acostarse con ella. Y él deseaba ser ese hombre. Sin abandonar esa idea, se pegó a ella, capturó su boca y la volvió a besar.

Capítulo Nueve

—¿En qué te has metido, Bailey? —se preguntó ella unos días después.

Se hallaba en el porche delantero. El tiempo había mejorado lo suficiente como para permitirle asomar la nariz, pero hasta donde alcanzaba la vista la nieve lo cubría todo.

El día anterior Josette le había contado que en Denver había caído una nevada que amenazaba con cerrar el aeropuerto.

Se calentó las manos en la taza de café y bebió un sorbo. Lo único que sabía era que debía marcharse de Hemlock Row y volver a casa antes de que…

¿De qué?

Walker había puesto patas arriba su, generalmente, ordenada mente desde el día que la había besado. No solo la había besado: le había metido los dedos y la había hecho correrse. Y luego los había chupado y la había besado, dejándole su propio sabor en los labios.

Por lo menos ella había tenido el buen sentido de marcharse de su habitación en cuanto el beso terminó y, desde ese día, se las había arreglado para apenas entrar en su cuarto cuando él estaba despierto.

Solo lo hacía para dejarle la comida y salía inmediatamente.

Habían pasado tres días, y Walker se recuperaba rápidamente. Entonces ¿por qué seguía sin hacer planes para marcharse a casa?

Su justificación era que no quería dejarlo solo antes de que el doctor Witherspoon le diera el alta. Y eso sería ese día. El médico estaba arriba, con Walker, desde hacía una hora.

Decidió entrar en casa antes de quedar convertida en un témpano en el mismo momento en que el médico bajaba la escalera.

—¿Cómo está el paciente, doctor?

—Bien. Le he quitado los puntos y mañana o pasado ya podrá bajar y subir la escalera. Le he aconsejado que empiece a moverse para recuperar tono muscular.

—O sea, que puede arreglárselas solo.

—Sí, aunque no quiero que se exceda, sobre todo al principio. Me alegro de que estés aquí para ayudarlo.

—Ya, pero yo tengo que volver al trabajo en Denver. ¿Sabe cuánto tardará en restablecerse de todo?

—Si tienes que marcharte, será mejor que te vayas ahora que el tiempo ha mejorado un poco. Estoy seguro de que a Lola no le importará venir a quedarse unos días.

El doctor Witherspoon le estaba ofreciendo una salida, ¿por qué no la aceptaba?

—Avísame si piensas marcharte para que lo organice. Estoy seguro de Walker querrá quedarse solo cuando te vayas, pero no es sensato que lo haga. Personalmente creo que te necesita.

–Lo dudo mucho. Creo que estará encantado de perderme de vista.

–No me parece, y conozco a Walker desde hace mucho. Yo lo traje a este mundo. Y habría traído también a su hijo, pero su mujer no quería oír hablar del asunto, quería que su hijo naciera en California. No le gustaba Kodiak.

El médico se calló y, por su expresión, Bailey comprendió que pensaba que había hablado demasiado.

–Ah, me olvidaba. Walker dice que quiere verte –dijo el doctor Witherspoon antes de abandonar la casa.

Bailey tomó aire para darse ánimos y fue hacia la escalera. Tal vez Walker quisiera pedirle que se fuera a casa.

–El doctor me ha dicho que quieres verme.

Walker se volvió al oír la voz. Bailey estaba en el umbral, como si estuviera lista para salir corriendo en cualquier instante.

–Entra, no muerdo.

Ella dudó. Entró y miró a su alrededor. Walker la observó. Llevaba el pelo recogido en una coleta y estaba muy guapa.

–¿Para qué querías verme?

–Para disculparme. No he estado precisamente agradable contigo estos últimos días.

–No, desde luego, pero he salido de situaciones peores. Tengo cinco hermanos y muchos primos. Sé que los hombres, cuando se ponen enfermos, se vuelven inaguantables.

–De todas maneras, no tenía derecho a hacértelo pagar a ti y te pido disculpas.

Ella se encogió de hombros.

–Disculpas acep… –recordó que esas mismas palabras habían terminado entre ellos con un beso en otra ocasión y modificó la frase–. Gracias por disculparte –se dio la vuelta para irse.

–¡Espera!

Bailey se giró.

–¿Sí?

–El almuerzo.

Ella enarcó una ceja.

–¿Qué pasa con el almuerzo?

–He pensado que podríamos almorzar juntos.

Bailey lo miró especulativamente.

–¿Por qué?

–Francamente, estoy cansado de estas cuatro paredes. Podríamos almorzar juntos en la cocina y hablar un poco.

–De acuerdo, te serviré el almuerzo en la cocina.

–¿Y comerás conmigo?

¿Cómo iba a explicarle que solo con respirar el mismo aire que él ya se alteraba su sistema nervioso?

–De acuerdo, comeremos juntos.

Capítulo Diez

–Bueno, Bailey, ¿quién te enseñó a disparar?

Ella terminó de masticar antes de responder.

–Mi primo Bane. Pertenece a los comandos especiales del ejército, es un francotirador de élite. No quiero parecer presumida, pero soy una tiradora excelente gracias a Bane.

–Nada de presumida, es la realidad. Yo soy la prueba viviente, y subrayo lo de «viviente». Si no lo hubieras abatido, ese oso me habría devorado. Mis hombres están impresionados.

–No lo hice para impresionar a nadie.

Eso era lo que la hacía diferente, pensó Walker. Para Kalyn, causar buena impresión era lo más importante.

–El verdadero héroe eres tú, Walker. Arriesgaste tu vida para sacar de allí a Marcus antes de que el oso llegara hasta él.

–Como tú dices, «no lo hice para impresionar a nadie» –sonrió y Bailey le devolvió la sonrisa.

¿Qué hacía flirteando con ella? Era la primera mujer que le interesaba desde la muerte de Kalyn.

Había bajado a la cocina antes de que ella lo llamara y la había observado mientras Bailey preparaba unos sándwiches para almorzar. Cuando se agachó para sacar los ingredientes del frigorífico, los pantalones se ciñeron a su precioso trasero y la testosterona de Walker se disparó.

Él era el primero en admitir que el ambiente de su casa había cambiado con la presencia de Bailey. No era solo el aroma a jazmín de su perfume. Esa mujer sabía ganarse a la gente.

—Después de comer, ¿vas a descansar? –preguntó ella.

—No, necesito hacer algunas cosas.

—¿Qué cosas? Espero que no sea algo que pueda provocar una recaída, Walker.

El tono preocupado de Bailey recordó a Walker algo que hacía por lo menos diez años que estaba ausente de su vida: una mujer que se interesaba por él.

Y una mujer a la que deseaba. ¿Cuánto tiempo más iba a fingir que no se había dado cuenta?

—Nada de recaídas, pienso seguir estrictamente las recomendaciones del médico. Tengo que revisar los libros y encargar algunos hierros de marcar ganado.

Ella asintió y se levantó. Fue a recoger su plato, pero la mano de Walker la detuvo.

—Puedo llevar mi plato. Te agradezco que estés aquí, pero no quiero que pienses que tienes que encargarte de mí. Estoy mejor.

—Muy bien.

Él trató de concentrarse en su taza de café, pero no podía. Observaba a Bailey, que se movía por la cocina colocando cada cosa en su sito. Le encantaba mirarla.

–¿Qué te pasa?, ¿por qué me estás mirando todo el rato?

–Me gustas con esa ropa, te queda muy bien.

–¿Con pantalones de chándal? –había una nota de incredulidad en su voz–. Esta mañana has debido de tomar un par de pastillas de más.

Él sonrió.

–¿Vas a ir a tu despacho a trabajar o piensas quedarte ahí mirando?

–Creo que me voy a quedar un rato más aquí.

–No está bien quedarse mirando fijamente.

–Eso dicen.

–Así que búscate otra cosa para mirar.

–Eres lo único que me interesa de esta cocina.

–¿Y cuál es la razón? –Bailey dejó el trapo de cocina en la encimera.

Él dejó la taza de café en la mesa.

–Lujuria. Te deseo, Bailey.

Ella notó cómo se le endurecían los pezones. La mirada de Walker le hacía sentirse deseada. Una repentina calidez se apoderó de su cuerpo, lo notaba en el pecho, en la entrepierna…

–Puedes venir aquí o puedo levantarme yo e ir hasta ahí –dijo él con voz grave.

Bailey tragó saliva. Iba en serio, pero no sabía si ella estaba preparada para aquello. ¿Una aventura con Walker? Eso era todo lo que él podía ofrecerle, se lo había dicho aquella noche en la camioneta. Y ella le había respondido que no buscaba más. Su futuro estaba en Westmoreland Country, no había amor suficiente en el mundo como para sacarla de allí.

Pero sí mucha pasión, y mucho deseo. Su cuerpo respondía como nunca lo había hecho, y Bailey sabía que no era una casualidad. Lo que estaba pasando entre ellos estaba destinado a suceder. Y ella lo aceptaba.

—Nos podemos encontrar a medio camino.

Cuando se juntaron en medio de la cocina, los brazos de Walker la rodearon con una posesividad que la dejó sin aliento.

—Ten cuidado con la pierna.

—No me duele la pierna, me duele otra cosa.

Y ella sabía de qué se trataba. Notaba su erección entre los muslos. Notó que él le agarraba las nalgas para que sus caderas estuvieran lo más en contacto posible.

—No estoy seguro de poder llegar hasta la cama. Quiero que lo sepas —la voz de Walker estaba llena de deseo.

—No me importa, que lo sepas tú también.

—Tengo que advertirte una cosa. Hace mucho tiempo desde la última vez que estuve con una mujer, casi cinco años.

—Pues yo llevo más de cinco sin estar con un hombre. ¿Y tu pierna? ¿Cómo lo vamos a hacer, tienes alguna idea?

—Muchas, y voy a ponerlas todas en práctica.

—Pues empieza, Walker Rafferty.

–Es lo que pienso hacer, nena.

Él inclinó la cabeza y atrapó su boca.

Todo en ella le gustaba. Su sabor, la calidez de su boca, el cuerpo que encajaba perfectamente entre sus brazos… Concluyó el beso sin separar su boca de la de ella.

–Quítate la ropa –susurró con sus labios sobre los de Bailey.

Ella enarcó una ceja.

–¿Aquí?

Él sonrió.

–Sí. Quiero hacerte el amor aquí; luego probaremos el resto de las habitaciones.

Bailey se rio.

–En ese caso…

Retrocedió varios pasos y empezó a desnudarse. Él seguía todos sus movimientos y, con cada prenda de la que se desprendía, se excitaba aún más. Cuando ella se quedó en bragas y sujetador, Walker dejó escapar el aire que había estado reteniendo y se apoyó en la encimera.

Se alegró de tener donde apoyarse cuando Bailey se deshizo del sujetador y su mano hizo descender lentamente las bragas hasta la rodillas, desde donde cayeron al suelo.

Walker gimió de placer, pero entonces recordó algo importante.

–Los preservativos. Están arriba, en mi mesilla.

Ella meneó la cabeza.

–No hacen falta, a no ser que prefieras protegerte

113

por razones de salud. Tomo la píldora para regular el ciclo.

–Entonces, todo solucionado. ¿Sabes? Eres preciosa, de la cabeza a los pies. Preciosa.

Bailey nunca había dejado que los cumplidos de un hombre se le subieran a la cabeza... hasta ese momento. Walker sonaba tan serio y tan sincero que el corazón empezó a latirle con más fuerza. Salvó la distancia que los separaba, se puso de puntillas y acercó los labios a los de él. Con la lengua, dibujó el perfil de su boca y sonrió complacida al oír que Walker jadeaba.

–Ahora te toca a ti quitarte la ropa, y pienso ayudarte.

Se agachó y le ayudó a desprenderse de zapatos y calcetines. Luego se incorporó y empezó a desabrocharle los botones de la camisa. De vez en cuando, se ponía de puntillas y le mordisqueaba los labios. Cuanto más gemía él, más audaz se sentía ella mientras le libraba de la camisa y la camiseta que llevaba debajo.

Deslizó los dedos por su pecho cubierto de vello y le encantó sentir su suavidad. Bajando desde su boca, dejó una lluvia de besos en su cuello y clavícula antes de llegar a las tetillas, que devoró con la lengua y los labios.

–Bailey, te necesito... –susurró Walker entre jadeos.

Ella también lo necesitaba, pero primero...

Desabrochó el botón de sus tejanos antes de bajarle la cremallera e introdujo una mano con la que rodeo su erección. Sonrió al notar su dureza. Oyó gemir a Walker, y el gemido se convirtió en gruñido cuando ella le mordisqueó el labio inferior.

Le ayudó a quitarse los tejanos y los calzoncillos y luego retrocedió un poco para contemplarlo.

–Cuanto músculo… Eres perfecto, tan…

Antes de que pudiera continuar, Walker tiró de ella para acercarla de nuevo y capturó sus labios con un beso crudo y posesivo. Entonces Bailey notó su mano entre las piernas y se separó rápidamente.

–No tan deprisa. Soy una invitada, así que pienso hacer lo que quiera –susurró. Sus dedos se cerraron en torno al sexo de Walker y lo oprimieron con suavidad, disfrutando de la sensación de la carne caliente en su mano.

–No me tortures, nena.

¿Torturarlo? Pero si todavía no había empezado…, pensó Bailey mientras continuaba acariciando su erección y disfrutando de su tacto y su dureza. Era enorme, y pensaba explorarlo centímetro a centímetro.

Con un movimiento que sabía que Walker no preveía, se arrodilló y lo introdujo en su boca.

–¡Bailey!

Le sujetó la cabeza, pero en lugar de tratar de retirarla, hundió los dedos en su pelo. Walker perdió completamente el control y todos los músculos de su cuerpo se estremecieron al sentir en su sexo la boca de Bailey. Estaba a punto de estallar.

Entonces le tiró del pelo con la fuerza suficiente para hacer que ella lo soltara. Bailey lo miró, se lamió los labios y le sonrió.

–Necesito penetrarte ahora mismo –dijo él con voz gutural.

Tiró de ella hacia arriba con fuerza y la condujo hasta la mesa de la cocina. Una vez allí la sentó sobre el tablero y le separó las piernas. El movimiento la dejó tumbada boca arriba sobre la mesa y en ese momento él hundió la cabeza en los pliegues de su sexo.

–¡Walker!

Su legua la estaba devorando como ella lo había hecho, y cuando Bailey le rodeó el cuello con los muslos y alzó la cadera para pegarse aún más a su boca, él comprendió que la había llevado al límite. Le hizo abrir de nuevo las piernas, se incorporó y la penetró hasta que estuvo completamente dentro de ella. Entonces empezó a moverse a un ritmo frenético y ella le rodeó la cintura con las piernas.

Alcanzaron juntos el orgasmo con sus caderas completamente fundidas. Walker no sabría explicar por qué, pero lo que acababa de pasar entre ellos estaba destinado a suceder. Él la necesitaba y, a juzgar por los gemidos de Bailey, ella también.

Ambos tenían ahora lo que necesitaban.

Bailey se despertó y cambió de postura entre los brazos de Walker. Habían pasado de la cocina al sofá del salón. Trató de apartar a Walker para incorporarse y entonces se acordó de su pierna.

Sus brazos la rodeaban como un cinturón de acero.

—¿Adónde crees que vas?

Lo miró y recordó por qué él estaba debajo y ella, arriba. No solo era buena disparando, también lo era cabalgando.

Echó un vistazo al reloj. Eran casi las ocho, habían dormido toda la tarde. Bueno, debía reconocer que no habían estado todo el rato durmiendo. Habían hecho el amor varias veces también.

—Son las ocho y no has tomado tus pastillas. Te tocaba a las cinco.

—Créeme, hacer el amor contigo es mejor que cualquier pastilla que el medico me haya recetado —aseguró Walker, y le hizo inclinar la cabeza hacia él para besarla.

El móvil de Bailey empezó a sonar y ella se levantó para contestar. Fue hasta la mesa de la cocina y, por el camino, reconoció el tono de llamada.

—¡Hola, Dillon!

—Hola, Bay. Llamo para preguntar cómo se encuentra Walker.

Ella miró en dirección al sofá.

—Está bien, cada día mejor. El médico está satisfecho.

—Me alegra oír eso. ¿Y tú, cómo estás?

—Bien, bien —Dillon no sabía cuánto—. Hemos tenido una tormenta de nieve.

–Eso he oído. ¿Tienes idea de cuándo volverás a casa?

Bailey tragó saliva.

–No, todavía no. No quiero dejar solo a Walker, pero en cuanto el médico le dé el alta, me marcharé.

–De acuerdo. Dale recuerdos a Walker y dile que todos le deseamos que se recupere cuanto antes.

–Muy bien, se lo diré de tu parte. Adiós.

–Adiós, Bay.

–¿Qué es lo que Dillon quería que me dijeras? –preguntó Walker incorporándose hasta quedar sentado.

–Que todos desean que te pongas bueno pronto –dejó el móvil sobre la mesa y fue a sentarse junto a él en el sofá–. Tengo una familia maravillosa. ¿Crees que alguna vez volverás a Denver?

Él la agarró por la nuca y acercó su cara. Frotó sus labios contra los de ella y la besó en el cuello.

–¿Harás que el viaje merezca la pena?

Ella cerró los ojos, le encantaba cómo la besaba Walker.

–No puedo prometer nada, pero veré qué puedo hacer.

Él la apartó un poco y Bailey lo miró.

–Dillon te ha preguntado cuándo te irás.

Ella asintió.

–Le he dicho que cuando te pongas bien.

–Estoy bien.

–¿Ya no soy bienvenida?

–Eso es imposible.

–En ese caso, me quedaré una semana más.

Él esbozó una sonrisa seductora.

–¿O dos?

Bailey trató de disimular su sorpresa y le acarició la mejilla.

–Sí, o dos.

Satisfecho con la respuesta, Walker se inclinó hacia delante y la besó.

Capítulo Once

Walker salió del cuarto de baño y miró hacia la cama. Era la tercera noche que Bailey y él pasaban juntos, y ya no quería ni pensar cómo eran antes sus noches sin ella.

Se frotó las sienes con la mano. No debería acostumbrarse a tener a Bailey en su cama. Estaban en la cuenta atrás y, al cabo de menos de dos semanas, ella se marcharía y su vida volvería a la normalidad.

La normalidad significaba vivir solo: él no necesitaba compañía. Garth se burlaba de él. Estaba disfrutando lo indecible de tenerla en su cama, pero por desgracia, ese no era el quid de la cuestión. Lo sorprendente era cuánto estaba disfrutando con ella... incluso sin el sexo.

Se dirigió hacia la chimenea para atizar el fuego y se obligó a pensar en otra cosa. Como la visita de Morris James el día anterior. El ranchero deseaba conocer a Bailey. La historia de cómo había abatido al oso había corrido como la pólvora. Morris quería además entregarle un cheque de diez mil dólares, la cantidad que había ofrecido como recompensa a quien matara al animal.

Bailey no quiso aceptar el dinero, insistió en donarlo a alguna asociación de ayuda a la infancia de la isla. Walker sonrió al recordar la cara de asombro de Morris. Entonces se acordó del primer día que había salido al porche después del accidente. Bailey estaba fuera haciendo un muñeco de nieve y le pidió ayuda. No había hecho un muñeco de nieve desde que era un niño, y debía admitir que se divirtió mucho.

—Walker…

Él giró la cabeza y vio a Bailey sentada en la cama. Aunque el edredón le tapaba hasta el cuello, resultaba tentadora. Sobre todo porque él sabía que debajo estaba desnuda.

—¿Qué?

—Tengo frío.

—Estoy atizando las llamas.

—No es suficiente. Estoy segura de que puedes hacer algo más.

Por supuesto que podía, se dijo Walker. Se quitó la bata y fue hacia la cama notando una punzada en la ingle. En cuanto se metió dentro y su muslo rozó el de Bailey, la punzada se intensificó. Necesitaba abrazarla y lo hizo. Al cabo de unos cuantos días ella se marcharía y, al pensarlo, lanzó un hondo suspiro.

Ella lo miró.

—¿Te encuentras bien? ¿Te duele la pierna?

—No, la pierna está bien.

Entonces Bailey le cubrió el sexo con una mano y empezó a acariciarlo. Acercó la boca a su oreja y susurró…

—¿Cómo lo hacemos? ¿Me montas tú o te monto yo?

Walker sonrió. Era imposible mantener bajo control sus fantasías sexuales cuando Bailey andaba cerca y estaba dispuesta a satisfacerlas todas.

–Mmm –la estrechó de nuevo entre sus brazos–, ¿qué te parece si hacemos un poco de todo?

Durante los días siguientes, Walker y Bailey siguieron una apacible rutina. Ahora que Walker había vuelto a trabajar a pleno rendimiento, se levantaba a las cinco y salía al campo con sus hombres. Regresaba alrededor de las nueve y disfrutaba del delicioso desayuno que Bailey insistía en prepararle. Por mucho que él le dijera que no tenía por qué cocinar, ella siempre respondía lo mismo: en una cocina tan bonita, a cualquiera le entrarían ganas de usarla.

Garth había acudido dos veces de visita desde Fairbanks, y no parecía sorprendido de que Bailey siguiera allí, ni de que pareciera sentirse tan cómoda en la casa.

Les había contado que ya se había puesto en contacto con Dillon y Ramsey, y que sus hermanos y él planeaban ir a Denver dentro de unas semanas. Bailey le había asegurado que su familia y ella estarían encantados de recibirlos. Walker pensó entonces que no les quedaba mucho tiempo juntos.

Lola había vuelto a hacerse cargo de la limpieza y las tareas domésticas una vez por semana y, por descontado, estaba encantada de tener a alguien con quien charlar.

Walker dio un sorbo a su taza de café. Se acordó del día que Bailey y él habían bajado juntos al pueblo a comprar provisiones. Había decidido parar un momento en Kodiak Way, el orfanato, para que Bailey viera adónde habían ido a parar los diez mil dólares de la recompensa de Morris. Se habían quedado más tiempo del que él planeaba, pues Bailey quería hablar con todos los niños, y luego salió fuera con unos cuantos a hacer un muñeco de nieve.

Otro día habían dado un paseo en su avioneta. Desde el aire, él le señalaba sus lugares favoritos: lagos, cuevas y las cimas de las montañas. Ella le preguntó dónde había aprendido a pilotar y él le contó que Garth y él habían servido juntos en las Fuerzas Armadas.

Y a su mente acudió también el día que ella lo había llevado hasta su despacho y, sentada en su regazo, le había mostrado el vídeo que había descargado en su ordenador. Jillian y Aidan habían regresado de su viaje de novios a Europa y habían subido el vídeo de la boda a Internet. Ya que él se había marchado antes de la ceremonia, Bailey quería que viera lo bonita que había sido.

Mientras miraba el vídeo, Walker recordó su propia boda. Unas cuantas noches atrás había soñado con Kalyn y Connor, un sueño que pronto se convirtió en pesadilla. Bailey tuvo que despertarlo para calmar su agitación. Aunque había curiosidad en su mirada, no le hizo preguntas, y él tampoco le contó nada.

Bebió otro sorbo de café y miró el reloj. Bailey bajaría enseguida a desayunar. Ese día sus hombres y él habían terminado las tareas matinales antes de lo habitual. Charm lo había llamado hacía una hora: estaba deseando conocer a Bailey y quería que fueran a Fairbanks ese fin de semana. Él no le había prometido nada.

Oyó trajinar a Bailey en el piso de arriba. Últimamente, había notado que empezaba a sentirse encerrada y recordó que, el día que la conoció, ella le había hablado de sus normas y de su intención de no marcharse jamás de Westmoreland Country. Él tampoco pensaba abandonar Kodiak, así que no merecía la pena pensar más en que podían formar una pareja.

No podía culpar a nadie. Él sabía de antemano que Bailey estaba unida a su familia y a Denver, y aun así se había dejado llevar. Volvió a oírla moverse en el piso superior y sus sentidos se despertaron. La tentación era demasiado fuerte, el deseo le hizo ponerse de pie y le empujó hacia la escalera.

Capítulo Doce

–¿Qué voy a hacer, Josette? De todas las estupideces que podía cometer, ¿por qué me tenía que enamorar de Walker Rafferty? –Bailey iba y venía por el dormitorio de Walker con el móvil pegado a la oreja.

Esa mañana se había levantado y, camino del cuarto de baño, había mirado por la ventana. Walker y sus hombres, con la nieve hasta la rodilla, estaban cargando aperos en una camioneta. Entonces le golpeó una certeza: estaba enamorada de Walker.

–Tranquilízate, Bailey. Enamorarse no es ninguna estupidez.

–Lo es si el hombre en cuestión no piensa corresponderte. Walker me dijo que todo lo que podía ofrecerme era una aventura.

–¿Y cómo sabes que no ha cambiado de opinión?

–No me ha dado a entender nada semejante.

–¿Le vas a decir lo que sientes?

–¡Pues claro que no!

–¿Y entonces, qué vas a hacer?

–Nada. Disfrutar de los días que me quedan aquí. Me parece que Walker todavía está enamorado de su mujer, y no creo que pueda hacer nada contra eso.

Tras despedirse y colgar, Bailey fue hacia la

ventana. El día era más luminoso que los anteriores. Echaba de menos Denver, pero no tanto como se habría figurado. Skype ayudaba. Se comunicaba a menudo por videollamada y había encontrado la manera de trabajar a distancia con Lucía, pero sabía muy bien que aquello era provisional. No tenía ninguna duda de que Walker esperaba que se marchara la semana siguiente. Entre ellos no podría haber nunca nada más que atracción física.

Sin embargo, notaba que él cada vez le importaba más. Una noche, Walker había tenido una pesadilla. Gritaba. «¡No, Kalyn! ¡Connor, Connor!». Ella lo había abrazado y lo había calmado, pero a la mañana siguiente él no se había referido a lo sucedido, ni le había explicado nada. Había hecho una búsqueda en Internet y averiguó que Kalyn y Connor eran su mujer y su hijo respectivamente.

Oyó que la puerta del dormitorio se abría y se dio la vuelta. En el umbral estaba Walker.

—Buenos días.

—Buenos días, Bailey —mientras lo decía se desabrochó el cinturón. A continuación fue hasta el sillón, se sentó y se quitó las botas y los calcetines.

—¿Has terminado de trabajar por hoy?

—No. Los chicos han llevado mi tractor al mecánico para que le eche un vistazo y tardarán varias horas en regresar, así que he vuelto y mientras bebía un café he oído que ya estabas despierta —se puso de pie y se bajó la cremallera de los pantalones.

—¿Y? —inquirió ella, haciéndose la tonta.

Él se quitó a la vez los pantalones y los calzoncillos, dejando al descubierto unos muslos fuertes.

–Y… ven aquí un momento –respondió mientras se desabrochaba la camisa. Se la quitó y, a continuación, se sacó por la cabeza la camiseta que llevaba debajo.

Ella no podía apartar la vista de su pecho y de la mancha de vello oscuro que rodeaba su erección.

–¿Antes o después de quitarme la ropa?

–Antes. Quiero desvestirte yo.

Cuando llegó a su lado, la besó con pasión. Luego le desabrochó los botones de la blusa y se la retiró de los hombros para que se deslizara suavemente por sus brazos hasta caer al suelo. A continuación le desabrochó el sujetador e hizo lo mismo con la falda. Ambas prendas acabaron sobre la alfombra y entonces él tiró hacia abajo del elástico de la braga y la libró de esa última barrera.

Al mirar su cuerpo desnudo, se quedó sin aliento. Nunca había deseado tanto a alguien, ni siquiera a Kalyn.

La alzó en brazos y la llevó a la cama. Cayeron juntos sobre el enorme colchón y volvieron a besarse. Ambos estaban hambrientos. Las manos de Bailey tocaban, exploraban, acariciaban, y las suyas se unieron a aquella danza. Ella se retorcía contra él, le mordía los hombros, le lamía el pecho e intentaba llegar con su boca más abajo, pero Walker se le adelantó. Le sujetó con fuerza las caderas y colocó la cabeza entre sus piernas.

Oía sus gemidos y sentía cómo Bailey le hundía las uñas en los hombros. Entendió que llegaba al clímax cuando, sacudida por el orgasmo, empezó a retorcerse bajo su boca.

La lujuria lo poseyó, se alzó sobre ella y la penetró. Bailey arqueó la espalda, levantó las caderas para recibirlo y enlazó los brazos en torno a su cuello. En un sorpresivo movimiento, levantó la cabeza y, con la punta de la lengua, trazó el perfil de sus labios.

Walker empezó a moverse deprisa, entrando y saliendo, penetrando cada vez más profundamente en su interior. Los ritmos de ambos se acoplaron hasta que ella gritó. Un feroz bramido escapó de los labios de Walker al sentir que los músculos interiores de Bailey se contraían en torno a su sexo, tratando de retenerlo en su interior, y el mismo orgasmo devastador los arrastró a los dos.

La abrazó con fuerza contra su pecho, necesitaba tenerla cerca de su corazón. Una parte de él quería quedarse así para siempre, pero sabía que era imposible. Bailey le había dejado muy claro que nunca abandonaría Denver y a su familia. Y él había hecho una promesa a su padre.

A pesar de todo, estaba decidido a acumular el mayor número posible de recuerdos.

—Esta mañana me ha llamado Charm.

—¿Y?

—Quiere que te lleve a Fairbanks para conocerte. Más bien me lo ha ordenado.

–¿Y me llevarás?

–Creía que no querías saber nada de los Outlaw.

–Nunca he dicho eso. No me pareció bien que mandaran a otro en su lugar, pero lo he superado. Si no te hubieran enviado, no nos habríamos conocido.

Decidió que, en realidad, los Outlaw le habían hecho un favor.

Ahora comprendía a sus hermanas. Megan y Gemma habían abandonado Denver para vivir con sus respectivos maridos. Megan pasaba allí solo seis meses al año y Gemma, que residía en Australia, únicamente iba de visita. Ambas sabían que su hogar estaba allí donde estuviera su corazón.

–Bueno, ¿me vas a llevar?

–Solo si me prometes que mañana me acompañarás a un sitio.

–¿Adónde?

–Lo sabrás cuando lleguemos.

–De acuerdo.

A la mañana siguiente, Walker la llevó hasta uno de los garajes. Hizo girar la manija de la puerta metálica y tiró hacia arriba. Ella se agachó para mirar al interior mientras la puerta terminaba de subir y lanzó una exclamación. Había dos motonieves negras.

Él entro y fue hasta un arcón de madera pegado a la pared.

–Una es mía y la otra de Garth. Le he pedido permiso para que la uses hoy. No iremos muy lejos.

De todos los sitios posibles, Bailey no se imaginaba que irían a un cementerio. En lugar de preguntar a Walker qué hacían allí, se limitó a seguirlo entre las lápidas.

Él se detuvo ante una y, con un cepillo que había llevado consigo, barrió la nieve que cubría los nombres: Walker and Lora Rafferty.

–Mis abuelos.

Ella lo miró.

–¿Te pusieron Walker por tu abuelo?

Él asintió.

–Y por mi padre. Soy el tercero. Mi abuelo estaba en el ejército y un verano lo destinaron a Fairbanks. Se enamoró de una chica de la isla. La familia de mi abuela vivía en Alaska desde la época en que la región pertenecía a Rusia. Mi abuelo compró cuatrocientas hectáreas con un préstamo del gobierno, y Lora y él se instalaron aquí y llamaron a la finca Hemlock Row, por los árboles típicos de la isla. Solo tuvieron un hijo, mi padre.

Se inclinó sobre la lápida contigua y limpió la piedra de nuevo con el cepillo.

Walker and Darlen Rafferty.

Barely se fijó en que habían muerto con solo seis meses de diferencia. Primero su madre y después, su padre.

–Mamá tenía cáncer. Cuando se lo diagnosticaron ya era demasiado tarde.

–¿Estabas aquí cuando murió?

–Sí.

Bailey hizo unos rápidos cálculos mentales. Walker había perdido a su mujer y su hijo solo tres meses antes de que muriera su madre. Se había marchado de Hollywood para buscar paz y consuelo en su hogar y allí había tenido que afrontar la enfermedad y muerte de sus progenitores. Es decir, en el plazo de un año había perdido a las cuatro personas que más quería. No era raro que se hubiera convertido en un solitario.

–Mi padre no soportó perder a mi madre, murió seis meses después. Era un buen hombre, el mejor. Cuando yo era adolescente me hizo prometerle que cuidaría de Hemlock Row y nunca vendería la finca.

Ella asintió. Lo comprendía perfectamente, también las tierras de los Westmoreland habían pasado de padres a hijos durante generaciones. Sus antepasados habían trabajado muy duro para comprarlas y mantenerlas.

Walker fue hacia la siguiente lápida. Antes de que limpiara la superficie, ella comprendió a quién pertenecía. Connor Andrew Rafferty.

Según las fechas grabadas en la piedra, el niño había muerto poco después de su primer cumpleaños. Bailey se dio cuenta que habría cumplido once años precisamente… ese mismo día.

Tomó la mano de Walker y se la estrechó. Permanecieron de pie, juntos, contemplando la tumba. Pasaron unos minutos hasta que Walker habló.

–Aprendió a andar a los diez meses. Le encantaba jugar al escondite.

Bailey esbozó una sonrisa e intentó contener las lágrimas.

–¿Y era difícil dar con él?

–Sí, pero le delataba su propia risa…

Volvió a quedarse callado. Luego se giró hacia ella y la abrazó.

–Gracias por venir aquí conmigo.

–Gracias por traerme. Hoy debe ser un día doloroso para ti.

–Sí. Hay cosas que nunca se superan.

–¿Y tu mujer? ¿No está enterrada aquí?

Él vaciló un instante antes de responder.

–No. Vamos, volvamos a casa.

***

Era de noche y Walker estaba tendido en la cama con Bailey, dormida, entre sus brazos. Ese día, por primera vez, había compartido su dolor con otra persona. Y también había compartido con ella la historia de su familia.

La única mujer a la que le había hablado de su historia familiar era Kalyn, y esta había reaccionado con desinterés y desidia. Le había dicho que debía dejar atrás el pasado y que, cuando heredara Hemlock Row, lo más adecuado sería venderlo. Luego había hecho una lista de todas las cosas que podrían comprar con el dinero.

Bailey, en cambio, había escuchado con atención y parecía comprender sus sentimientos. Él no había sido capaz de verbalizar sus emociones, pero de regreso en la casa, le había hecho el amor con pasión.

Retiró el brazo de la cintura de Bailey, se levantó de la cama y fue hasta la chimenea, donde crepitaban las llamas. Era únicamente deseo lo que sentía por ella, se dijo, se negaba a admitir cualquier otra posibilidad.

No necesitaba a nadie en su vida, prefería la soledad. Ella se marcharía y su vida volvería a la normalidad. Porque ella se iría, estaba seguro. Estaba tan unida a Westmoreland Country como él lo estaba a Hemlock Row.

Respiró hondo. ¿A quién estaba tratando de convencer? Debía mantenerse firme. Ya se había equivocado con una mujer y con una vez era suficiente. Había estado a punto de contarle a Bailey la sórdida traición de Kalyn, pero no había podido. Solo Garth conocía la historia completa y así pensaba dejarlo.

–¿Walker?

–Aquí estoy…

–Pues ven a la cama.

Él atravesó la habitación. Dentro de unos días Bailey regresaría a Westmoreland Country sin mirar atrás. Hasta entonces, debía asegurarse de que los momentos que compartieran fueran inolvidables.

Capítulo Trece

–No me lo puedo creer –balbució Charm Outlaw mirando fijamente a Bailey–. ¡Nos parecemos! Bienvenida a Fairbanks, prima.

Bailey no pudo evitar sonreír, y decidió que Charm le gustaba.

–Gracias por invitarme. No esperaba todo esto.

«Todo esto» era la cena formal que Charm había organizado en su honor.

Bailey había conocido a los hermanos de Garth y Charm: Jess, Sloan, Cash y Maverick. Todos guardaban un parecido con algún Westmoreland y los cinco hermanos estaban solteros.

–Estamos aquí todos… excepto papá. No lleva bien esta historia y parece que ha decidido hacer novillos –comentó Charm.

Garth carraspeó, dando a entender que su hermana había hablado más de la cuenta.

–¿Cuánto tiempo piensas quedarte en Fairbanks, Bailey?

–Siento desilusionarte, Charm –intervino Walker–, pero Bailey volverá a Denver el lunes.

Bailey no dijo nada, se limitó a beber un sorbo de vino. Al parecer Walker estaba contando los días.

Charm hizo un mohín.

–Bueno, pero dime, ¿hay algún chico guapo y soltero en Denver?

–Siento interrumpir –Garth habló antes de que Bailey pudiera contestar–. La cena esta lista.

Sentado, Walker escuchaba a Garth despotricar contra su padre. Y con razón. Aunque finalmente Bart había decidido presentarse a cenar, había ignorado por completo la presencia de Bailey. Era imposible que no hubiera notado el asombroso parecido entre Charm y la invitada, pero al parecer esa circunstancia había aumentado su resentimiento.

Cuando terminó la cena, sin esperar a que se sirviera el postre, Garth animó a Charm a que enseñara a su invitada la casa y, cuando las mujeres se hubieron marchado, él y sus hermanos llevaron a su padre al piso de arriba.

–Has sido muy maleducado con Bailey, papá.

–Yo no la he invitado a venir.

–Pero nosotros sí. Y por una buena razón: es nuestra prima.

–No, nosotros somos Outlaw, no Westmoreland.

Garth lanzó un suspiro que mostraba su hartazgo.

–¿Por qué eres tan hostil a la idea de que tu padre fuera adoptado? Eso no significa que no sea un Outlaw, solo que tenía además otra familia, su familia biológica, a la que ahora podemos conocer. ¿Por qué quieres impedirlo?

Bart se dirigió a Walker.

–¡Esto no habría sucedido si tú hubieras hecho

tu trabajo! Te pedí que encontraras cómo desacreditarlos…

–¡Basta! –Garth parecía muy enfadado–. ¿Cómo pudiste hacer algo semejante, papá?

En vez de responder, Bart se marchó dando un portazo.

Sus hijos lo vieron salir con una mezcla de enfado y confusión en sus rostros.

–Debe haber una razón para su negativa a aceptar que su padre fuera un Westmoreland –reflexionó Garth.

–Estoy de acuerdo –Maverick se levantó y Cash hizo lo mismo.

–Si es así, debemos averiguar de qué se trata antes de que todo esto se haga público y la prensa empiece a husmear –afirmó Jess.

–¿Temes que pueda afectar a tu carrera política? –se interesó Sloan.

–No lo sé, pero mejor estar preparados.

–Creo que todos estamos de acuerdo: encargaré a alguien que investigue el asunto –concluyó Garth.

–Te pido perdón por el comportamiento de mi padre –se disculpó Charm ante Bailey.

–No es necesario. Walker ya me había advertido de que no quiere saber nada de nosotros.

–Hablando de Walker, me alegro de que por fin haya superado lo de su mujer. Se os ve muy bien juntos, solo tiene ojos para ti.

Bailey no estaba tan segura de que las cosas fueran como Charm las presentaba, pero no estaba preparada para compartir sus penas con nadie.

–Las apariencias a veces engañan.

Charm alzó una ceja.

–¿Eso quiere decir que te volverás a Denver el lunes?

–No hay motivo para que me quede aquí.

En ese momento su móvil empezó a sonar. Miró la pantalla y vio que el que llamaba era Bane.

–Perdona –dijo a Charm–. Debo contestar, es mi primo. Esta en los comandos especiales del ejército y puede que no tenga ocasión de volver a llamarme.

–No te preocupes. Si quieres hablar en privado, entra en cualquier habitación. Yo te esperaré abajo.

Bailey abrió la primera puerta que vio, entró y encendió la luz.

–¿Bane? ¿Qué ocurre, estás bien?

–No puedo hablar mucho. Necesito que me ayudes.

–¿Qué quieres?

–Que encuentres a Crystal.

Bailey enarcó las cejas.

–Bane, sabes lo que Dillon te pidió.

–Lo sé muy bien. Dil me pidió que aceptara mis responsabilidades e hiciera algo con mi vida antes de ir en busca de Crystal. Y eso he hecho. Ha pasado suficiente tiempo y no pienso dejar pasar ni un minuto más. Dentro de un par de semanas estaré de permiso por un periodo largo.

–¿Un periodo largo? ¿Estás bien, Bane?

–Estaré mejor cuando encuentre a Crystal. Necesito que me ayudes, Bay.

Todos los hermanos Outlaw habían bajado de nuevo al comedor, excepto Garth, que se había quedado arriba con Walker.

–¿No crees que papá nos está ocultando algo?

–¿Y tú? –Walker le devolvió la pregunta.

–Sí, y voy a contratar a un detective privado para que lo averigüe. No quiero meter a Hugh en esto.

–¿No tenía Regan un pariente que se dedica a eso?

–Sí, el marido de su hermana. Y creo que es bueno. Puede que lo llame mañana.

–Buena idea.

–Solucionado. Y dime, ¿qué pasa entre Bailey y tú?

–¿Por qué piensas que pasa algo entre nosotros?

–Tengo ojos en la cara, Walker.

–Nada serio. Me gusta, es una chica caliente. Y es agradable tener con quién compartir estas noches tan frías, sobre todo para un hombre que llevaba mucho tiempo sin meterse con una mujer en la cama. Ya lo has oído, se marcha el lunes. Adiós muy buenas.

Bailey no podía creer lo que acababa de escuchar. Se disponía a bajar cuando había oído voces procedentes de una habitación. Eran las voces de Garth y Walker y, al oír su nombre, se había detenido.

Tenía los ojos llenos de lágrimas. Retrocedió para apartarse de la puerta y se chocó con Charm.

–Bailey, he subido a buscarte porque pensaba que a lo mejor te habías perdido....

Se interrumpió al ver las lágrimas de Bailey.

–¿Qué pasa, estás bien?

–Sí, sí…

–Pues no lo parece. ¿Te han dicho algo que te ha molestado? ¿Ha sido mi padre?

Charm hizo ademán de dirigirse hacia la puerta, pero Bailey la detuvo.

–No, por favor –miró a Charm a los ojos–. Gracias por tu hospitalidad, ahora necesito ir al aeropuerto. ¿Puedes llamar a un taxi?

Charm arrugó el ceño.

–¿Al aeropuerto? ¿Y qué pasa con Walker, qué le voy a decir?

–Que he recibido una llamada de un familiar y tengo de regresar a Denver inmediatamente.

–De acuerdo, pero no irás en taxi, voy a llevarte yo misma.

Garth se quedó mirando fijamente a Walker.

–Eso que has dicho es una burda mentira, y lo sabes.

–¿Ah, sí?

–Estás enamorado de Bailey, admítelo. ¿Cuándo vas a dejar atrás el pasado? Esa mujer puede ser tu futuro.

Walker negó con la cabeza.

–No, ella no piensa marcharse nunca de Westmoreland Country. Y yo prometí a mi padre cuidar de Hemlock Row.

–Entonces ¿admites que la amas?

Walker cerró los ojos antes de contestar.

–Sí, la quiero, y mucho. Estas tres semanas han

sido las mejores de mi vida. Yo creía que estaba resignado a vivir en soledad, pero ella me ha hecho desear más, ha convertido mi casa en un verdadero hogar.

–¿Y cuál es el problema?

–Que yo no puedo competir con su familia. Los necesita más a ellos que a mí.

–¿Estás seguro de eso?

–Sí, los echa de menos. En realidad, no pensaba que fuera a quedarse tanto tiempo en Alaska, va contra sus principios.

–Tal vez tenga un motivo para hacerlo. Y ese motivo me parece que eres tú.

Garth iba a añadir algo cuando Sloan entró en la habitación.

–Charm acaba de marcharse con Bailey.

Walker frunció el ceño.

–¿Marcharse, adónde?

–Al parecer Bailey recibió una llamada de un familiar y tuvo que irse. Charm la ha llevado al aeropuerto. Se marcha esta noche a Denver.

Capítulo Catorce

–Señora, por favor, abróchese el cinturón. El avión va a despegar.

Bailey obedeció. Charm había prometido encargarse de enviarle las cosas que había dejado en Hemlock Row. En el aeropuerto, había cambiado la reserva que tenía para el lunes abonando un penalización. Para llegar a Denver tendría que realizar dos conexiones, una en Seattle y la siguiente en Salt Lake City, pero dentro de doce horas estaría en casa, eso era lo único importante.

Respiró hondo para intentar no pensar en Walker. Las palabras de este resonaban una y otra vez en su cabeza. Se había equivocado con él. Aunque bien pensado, el propio Walker se lo había advertido: solo podía ofrecerle una aventura. Pues bien, la aventura había terminado.

–Al diablo con ella –masculló Walker guardando su ropa en el bolso de viaje.

No había razón para seguir en Fairbanks, esa misma noche volaría a Kodiak. Había ido allí porque Bailey se lo había pedido, pero ella, a la primera llamada de su familia, se volvía corriendo a casa.

No se trataba de nada urgente. Él había telefoneado a Dillon y este le había dicho que no sabía nada del asunto, que todo estaba en orden en Westmoreland Country.

Así que, además, Bailey le había mentido. Y ni siquiera había tenido la decencia de despedirse.

En ese momento alguien llamó a la puerta. Fue hasta ella y la abrió de golpe. Garth y Charm lo miraron sin inmutarse.

—Me marcho esta noche, Garth, y no intentes hacerme cambiar de opinión.

—Me parece bien que te vayas, pero no a Hemlock Row.

Walker lo miró sorprendido.

—¿Y adónde entonces?

—A buscar a Bailey.

—¿Y por qué voy a hacer eso?

—Porque Bailey se marchó después de oír la conversación que Garth y tú mantuvisteis en el piso de arriba —respondió Charm.

Walker miró a Garth y tragó saliva.

—No creerás que oyó…

—¿Toda las estupideces que dijiste? Puede ser, ¿qué importa?

Garth hablaba así para provocarlo, Walker lo sabía.

—No iban en serio. Además, luego admití que estoy enamorado de ella.

—Pues dudo mucho de que Bailey haya escuchado esa parte —intervino Charm—. Se fue hecha un mar de lágrimas.

Walker miró el reloj.

–Tengo que ir a buscarla.

–Claro que tienes que ir –Garth miró a su hermana–. ¿Sabes los detalles del viaje? Seguro que tendrá
que hacer una o dos conexiones.

–Dos –confirmo Charm–. Tiene que cambiar de
avión en Seattle y en Salt Lake City.

–Hablaré con Regan para que nos prepare el
avión. Si actuamos deprisa, llegarás a Seattle casi a
la vez que Bailey. Y por si lo has olvidado, Ollie es
el jefe de seguridad de ese aeropuerto.

Oliver Linton había sido compañero suyo en el
ejército, y los tres hombres habían mantenido la
amistad desde entonces.

Bailey bebió un sorbo de café. Todavía faltaba
una hora antes de que saliera el vuelo a Salt Lake
City. Y luego tendría que esperar allí dos horas antes
de embarcar hacia Denver. De vuelta a casa.

No estaba contenta de volver. En ese momento
solo podía sentir dolor.

«El hombre al que quieres no te quiere. Tendrás
que superarlo». Respiró hondo y se preguntó si alguna vez lo conseguiría.

Las palabras de Walker la habían herido profund-
damente. Al parecer, de las tres semanas que habían
compartido, lo importante para él era que le calenta-
ba la cama.

–Disculpe, señora.

Bailey se volvió hacia la voz que le hablaba y vio a un agente de seguridad del aeropuerto.

—¿Sí?

—¿Es usted Bailey Westmoreland?

—Sí, soy yo.

—¿Puede acompañarme, por favor?

—Sí, pero ¿por qué? ¿Qué ocurre?

—No puedo responder a esa pregunta. Simplemente me han pedido que la lleve a ver al jefe de seguridad del aeropuerto.

Ella tragó saliva.

—Debe de haber alguna equivocación —dijo, pero siguió al empleado.

Cuando llegaron a la oficina, el agente de seguridad que la había guiado hasta allí la hizo pasar al interior de una sala.

—Espere aquí, por favor.

Se trataba de una especie de sala de reuniones. Hacía más calor allí que en la cafetería de la terminal. Bailey se quitó el abrigo y lo dejó encima de una silla.

Oyó que a su espalda se abría la puerta y se alegró. Lo último que deseaba era perder el vuelo a Salt Lake City. Se dio media vuelta con intención de preguntarle al jefe de seguridad qué quería de ella… y se quedó boquiabierta.

—¡Walker!

***

Walker entró, cerró la puerta tras él e hizo girar la llave en la cerradura. La retiró y se la guardó en el bolsillo.

–Hola, Bailey.

–¿Qué estás haciendo aquí? ¿Cómo has venido? Y, sobre todo, ¿por qué?

Bailey sonaba enfadada. Y dolida. Walker hundió las manos en los bolsillos y volvió a lamentar sus palabras.

–He venido para hablar contigo, en el avión de la empresa de Garth. Te debo una disculpa.

–Podrías haberte ahorrado el viaje: no pienso aceptar tus disculpas. Te oí hablar con Garth, y dejaste claro lo que significo para ti.

Él se apoyó contra la pared y se echó hacia atrás el sombrero. Bailey todavía iba vestida con la ropa de la cena en casa de los Outlaw: pantalones negros y un jersey de lana de color bronce, con pendientes a juego. Estaba guapa, tan guapa como hacía cuatro horas.

–No quería decir lo que dije.

–Claro que sí.

–¿Podemos sentarnos y hablar? Cuando tú viniste a pedirme disculpas, yo las acepté.

–Pues yo no pienso hacer lo mismo.

No iba a ser fácil, Walker lo sabía, pero no pensaba darse por vencido.

–Vamos a hablar, quieras o no. He cerrado la puerta con llave y no pienso abrirla hasta que lo hagamos. El jefe de seguridad del aeropuerto es amigo mío.

–No puedes retenerme contra mi voluntad. Os denunciaré a los dos.

–Como quieras, pero antes tú y yo vamos a quedarnos aquí hasta que oigas lo que tengo que decirte.

–No pienso escucharte.

–Tranquila, tengo mucho tiempo. Esperaré hasta que cambies de opinión.

Fue hacia una silla, se sentó, estiró las piernas y cerró los ojos con las manos cruzadas sobre el regazo. Oyó que ella caminaba hasta la puerta y sacudía el pomo tratando de abrirla. Permaneció con los ojos cerrados mientras oía cómo Bailey propinaba golpes y patadas a la madera durante unos instantes. Luego fue hasta donde él estaba y se colocó delante con los brazos cruzados sobre el pecho.

–¡Despiértate de una vez, bastardo! ¡Déjame salir de aquí!

Walker la miró pero no contestó, ni siquiera cuando ella empezó a lanzarle insultos cada vez más ofensivos. Había oído comentar a sus hermanos que, cuando se enfadaba, hablaba como un camionero, y ahora lo confirmaba. Quería que se desahogara, pero, al cabo de un rato, se dio cuenta de que Bailey podía continuar así mucho rato.

–Si insistes, voy a tener que besarte para que cierres la boca.

–No te atreverás.

Con un movimiento que ella no esperaba, el brazo de Walker la atrapó por la cintura, la sentó en su regazo y a continuación la besó. Al principio trató de rechazarlo, pero en seguida su boca dejó de obedecer sus órdenes y le devolvió el beso. Cuando tuvo conciencia de lo que pasaba, Bailey apartó su cara de la de él, pero no se levantó.

–Te odio.

–Pues yo te amo, Bailey.

Ella estaba preparada para contestar, pero entonces se dio cuenta de lo que él acababa de decir y volvió a cerrar la boca. Lo miró sin comprender.

–Pero te oí decirle a Garth que…

–Si lo hubieras oído todo, sabrías que luego admití que estaba enamorado de ti y que lo que había dicho era una estupidez. Quería tapar el sol con la mano, pero es imposible.

–Pero si tú sigues enamorado de tu mujer… Llevas diez años llorando por ella. ¿Quieres que crea que yo he cambiado eso en menos de un mes?

Tenía que contarle la verdad, pensó Walker. Sería doloroso escarbar en los recuerdos, pero amaba a Bailey y se lo debía.

–Dejé de estar enamorado de mi mujer unos meses antes de que muriera en ese accidente. Cuando me enteré de que tenía una aventura.

Bailey tragó saliva.

–¿Te engañaba con otro? –preguntó, no estaba segura de haber comprendido.

–Entre otras cosas –Walker respiró hondo. Agarró a Bailey por la cintura, la levantó de su regazo y la sentó en la silla de al lado–. Será mejor que te cuente la historia desde el principio.

Bailey lo conocía lo suficiente para notar el dolor que atenazaba su garganta.

–Garth y yo estábamos destinados en una base del ejército en Los Ángeles. Una tarde que salimos de paseo nos cruzamos con un rodaje. Estaban rodando unas escenas en la calle, nos paramos a curiosear y, aunque te parecerá sorprendente, nos pidieron que hiciéramos de extras. Me fijé en una de las actrices, que tenía un pequeño papel.

–¿Kalyn?

–Sí. Ella también se fijó en mí y, cuando terminamos con las tomas, nos fuimos a cenar juntos. Yo estaba embelesado, nos acostamos varias veces después de esa noche, pero no creí que las cosas fueran más lejos. Me quedaban pocos meses en el ejército y estaba deseando volver a casa después, igual que Garth.

Hizo una pausa. Le dolía recordar, pero estaba decidido a contárselo todo.

–Mi padre me había escrito y yo sabía que en el rancho necesitaban mi ayuda. Le había dicho que regresaría en cuanto me licenciara, pero unos días antes de partir, me llamaron. Alguien me había visto en la película en la que nos pidieron que hiciéramos de extras y querían ofrecerme una prueba. Me dijeron que tenía lo que ellos llamaban «el toque Hollywood».

Walker se reclinó en el respaldo de la silla antes de continuar.

–Kalyn me aseguró que se alegraba mucho por

mí, y me dijo que creía que estaba embarazada. Yo pensé que mi deber era casarme. Garth me advirtió de que debía esperar, que regresáramos juntos a Alaska hasta que se confirmara la noticia…, pero no le hice caso.

–¿Y estaba embarazada? –preguntó Bailey.

–No, dijo que había sido una falsa alarma. Yo quería que nuestro matrimonio funcionara, estaba enamorado, y le propuse que viviéramos en Kodiak, pero ella no quería ni oír hablar del asunto. Me dijo que era un sitio horrible y que no quería ir a conocerlo.

Bailey no comprendía cómo alguien podía odiar Hemlock Row, más aún sin haberlo visto siquiera.

–Al cabo de unos meses, me dieron un papel importante y Kalyn estaba radiante. Le encantaba ser la esposa de un famoso. Yo echaba de menos Alaska y le dije que estaba pensando en dejarlo y regresar. Entonces me contó que estaba embarazada.

–¿Y era verdad esa vez?

–Sí. Las cosas entre nosotros mejoraron y la llegada de Connor me llenó de felicidad. Estaba deseando que mis padres conocieran a su nieto.

–¿Fuisteis los tres a Hemlock Row?

–No. Kalyn no me permitió llevar a Connor hasta que este cumplió un año y ella se negó a viajar con nosotros. Luego, cuando regresamos a Los Ángeles, mi madre enfermó y durante los meses siguientes volví varias veces a verla, pero cada vez que iba, Kaly me armaba un escándalo.

Bailey frunció el ceño.

–¿Por qué no quería que fueras?

–Nuestra relación se había deteriorado, aunque en público éramos la pareja perfecta –Walker se puso de pie y empezó a caminar arriba y abajo–. Un día volví a casa y me soltó la bomba: llevaba tiempo viéndose con un hombre casado y este iba a dejar a su mujer por ella.

Walker cerró los ojos y respiró hondo antes de volver a abrirlos.

–También me dijo que Connor no era hijo mío.

Bailey dio un respingo. Estaba atónita.

–Yo le contesté que no me importaba si Connor no era mi hijo biológico. Era el hijo de mi corazón, lo quería igual aunque no tuviera mi sangre. Kalyn se echó a reír y me dijo que era un estúpido.

–¿Y qué pasó entonces, se marchó?

–No, su amante debió cambiar de opinión. Una tarde Kalyn volvió a casa y, sin dirigirnos la palabra se encerró en su dormitorio. Yo comprendí que había sucedido algo. Unos días después recibí una llamada: Kalyn había perdido el control del volante y se había estrellado. Ella murió al instante, pero Connor llegó vivo al hospital. Me pidieron que donara sangre para hacerle una transfusión.

–Entonces sí que era hijo tuyo…

–Sí, Kalyn me había mentido. O tal vez en aquella época se acostaba con su amante y conmigo y ni siquiera ella sabía cuál de los dos era el padre. Connor resistió veinticuatro horas y después murió.

Una lagrima resbaló por la mejilla de Bailey.

–Cuando volví a casa, encontré una carta que me había escrito Kalyn. Quería que supiera que no había sido un accidente.

–Quieres decir que…

–Sí, se suicidó. Parece que finalmente su amante la abandonó y ella decidió matarse y llevarse a su hijo.

Los ojos de Walker se llenaron de lágrimas.

–Solo Garth sabe lo de la carta. Decidimos que no ganaríamos nada informando a la policía, era mejor que todos pensaran que había sido un accidente.

Bailey asintió con la cabeza.

–Después de aquello, nunca pude volver a confiar en una mujer, hasta que te conocí a ti. No quería enamorarme, he intentado evitarlo, pero al final he tenido que aceptar lo que me dice mi corazón. Siento haber dicho lo que le dije a Garth, estaba escondiéndome de mí mismo. La verdad es que te quiero, Bailey.

Ella se levantó y fue hasta él para envolverlo en un abrazo. Walker había sufrido mucho, ahora lo sabía.

–Sé que no puede haber nada entre nosotros. Tú quieres a tu familia y deseas vivir con ellos en Westmoreland Country. Yo, por mi parte, prometí a mi padre que no abandonaría por segunda vez Hemlock Row, y no lo haré.

–¿Me estás diciendo que me quieres… pero que dejarás que vuelva a Westmoreland Country?

–Sí, porque allí está todo lo que amas. Conozco «las normas de Bailey».

–Bueno, pues voy a incumplir una de esas normas.

Él la miró inquisitivamente.

–¿A qué te refieres?

–Yo también te quiero. Lo sé desde hace semanas, aunque no quería admitirlo. Por eso voy a volver contigo a Hemlock Row

–Pero… ¿y Westmoreland Country?

–Ahora comprendo a Gemma y a Megan: tu hogar está donde esté tu corazón, y el mío está contigo.

–¿Estás segura?

–Segurísima.

Unos días más tarde, Walker iba a levantarse de la cama, pero Bailey lo retuvo.

–¿Se puede saber adónde vas?

Walker sonrió.

–A atizar el fuego. Enseguida vuelvo.

–Más te vale.

Él sonrió. Apenas podía creer lo maravillosa que era su vida desde que le había confesado su amor a Bailey. La semana siguiente era Acción de Gracias e irían a Denver, a celebrarlo con los Westmoreland.

Atizó las llamas y, antes de regresar a la cama, sacó una cajita del cajón de la cómoda.

–Bailey…

Ella abrió los ojos.

–Mmm…

–¿Quieres casarte conmigo?

–Pero estamos en la cama, acabamos de hacer…

–No se me ocurre mejor manera de completar las cosas. Ya sabes que entre nosotros siempre ha habido algo más que sexo, aunque creo que el sexo contigo es fuera de serie…

Ella abrió la cajita y el anillo brilló a la luz de las llamas de la chimenea.

–Es precioso, Walker.

–Tanto como mi futura esposa. Todavía no has dicho que sí…

–¡Sí!

Él sacó el anillo y se lo puso en el dedo.

–Gracias por incumplir tus propias normas, Bailey.

–Gracias a ti por confiar en mí y por amarme.

Sus bocas se unieron en un beso y Bailey comprendió que así serían las cosas para el resto de sus vidas.

Epílogo

Día de Acción de Gracias

Bailey miró a todos los que estaban sentados en torno a la enorme mesa. Era la primera vez que todos los Westmoreland de Denver lograban reunirse para celebrar el día de Acción de Gracias. Incluso Bane estaba allí. La familia se había multiplicado con cuñados, cuñadas y sobrinos. Walker y ella se casarían allí el día de San Valentín.

La noticia había sorprendido a todos, sobre todo al enterarse de que se iba a vivir a Alaska. Sin embargo, Walker y ella parecían tan felices juntos que la sorpresa pronto se había transformado en alegría. Lucía y Chloe habían encontrado la manera de que Bailey pudiera seguir trabajando para *Simply Irresistible* desde Kodiak.

Dillon dio unos golpecitos en su copa con el tenedor para pedir silencio y atención a los comensales y, cuando todos se callaron, se puso de pie.

—Es la primera vez en muchos años que estamos todos reunidos para celebrar el día de Acción de Gracias. Agradezco a Gemma y a Bane que hayan venido a casa para estar con nosotros, y estoy encantado de que haya caras nuevas que pronto formarán parte de esta familia –dijo sonriendo, y miró a Walker–. Creo que mamá, papá, el tío Thomas y la tía Susan estarían orgullosos de que sigamos todos unidos y de que la familia haya aumentado.

Bailey se enjugó una lágrima y, por debajo de la mesa, buscó la mano de Walker. Tenía todo lo que podía desear en la vida y más.

–¿Querías verme, Dil?

Bane entró en el despacho de su hermano. Dil alzó la vista. Su hermano pequeño parecía más alto y más maduro que la última vez.

–Quería hablar contigo, saber cómo te van las cosas.

–Bien, aunque la última misión me dejó tocado. Perdí a un buen amigo.

–Lo siento.

–Y yo. Laramie Tucker era un buen hombre. El mejor.

–¿Por eso has pedido un permiso?

Bane se acomodó en la silla que había delante del escritorio de Dillon.

–No. Ya es hora de que encuentre a Crystal. La muerte de Tuck me ha demostrado lo frágil que es la vida. Hoy estás aquí y mañana ya no.

Dillon rodeó la mesa y se apoyó en una de las esquinas, cerca de su hermano.

–No sé si sabes que Carl Newsome murió.

–No, no lo sabía.

–¿No has vuelto a ver a Crystal desde que sus padres la mandaron fuera?

–No. Como tú me dijiste entonces, no podía ofrecerle nada. Era un gamberro y ella se merecía algo mejor.

Dillon asintió.

–Han pasado años, Bane. La última vez que hablé con los Newsome fue cuando llamé para dar el pésame por la muerte de Carl. Pregunté por Crystal y Emily me dijo que estaba Arquitectura en Harvard y tenía planes para el doctorado. No quiero disgustarte, Bane, pero no sabes cuáles son los sentimientos de Crystal hacia ti ahora. Entonces erais unos críos y tal vez ella haya seguido adelante con su vida. ¿Has pensado que puede tener una pareja?

Bane se recostó en la silla.

–Lo que había entre nosotros es un lazo que no se puede romper.

–Pero de eso hace años. No la has visto desde entonces, tal vez incluso esté casada.

Bane meneó la cabeza.

–Crystal no podría casarse con nadie.

Dillon enarcó una ceja.

–¿Cómo estás tan seguro?

Bane miró a su hermano a los ojos y le sostuvo la mirada.

–Porque ya está casada. Conmigo.

Libro de Autor

BARBARA DUNLOP vive en una cabaña de madera en el norte de Canadá, donde los osos superan en número a las personas y nieva seis meses del año. Afortunadamente, tiene un marido fuerte y dos hijos adolescentes para transportar leña y limpiar la entrada de su casa, mientras ella escribe atrevidas historias frente a la chimenea y disfruta del éxito que estas cosechan.

Matrimonio equivocado

Si quería salvar la fortuna familiar, el millonario Jack Osland tendría que casarse con una mujer a la que apenas conocía. Pero llevarse a la diseñadora de moda Kristy Mahoney a una capilla de Las Vegas minutos después de conocerla no iba a ser ningún problema. A pesar de que se suponía que ella estaba enamorada de otro.

Una vez firmado el contrato prenupcial, Jack tenía intención de disfrutar de la noche de bodas, de enseñarle a su flamante esposa cómo pasarlo bien en Navidades y luego desaparecer con los millones de los Osland.

Lo que Jack no imaginaba era que se había casado con la mujer equivocada...

N° 176

Atracción incontrolable

El millonario Hunter Osland no podía creer que una de las empleadas de la empresa que acababa de comprar su familia fuera precisamente Sinclair Mahoney, la mujer con la que había pasado una sola noche de pasión.

El recuerdo de aquella noche impulsó a Hunter a intentar retomar la relación, pero la reticencia de Sinclair obligó a su nuevo jefe a adoptar otra estrategia: primero le demostraría cuánto la deseaba mientras estaban en la oficina... y luego se lo demostraría en el dormitorio.

LINDA HOWARD

Corazón roto

Michelle Cabot acababa de heredar un rancho y un montón de deudas. Pero lo peor de todo era que la mayoría de esas deudas eran con el propietario del rancho vecino, John Rafferty. Nada podría haberlo sorprendido más que descubrir que aquella niña rica y mimada se había propuesto dirigir el rancho de su abuelo. John estaba realmente encantado con la nueva Michelle, y por eso decidió que tenía que conseguir que se convirtiera en su mujer. Lo que no sabía era que, debajo de su apariencia tranquila y estable, aquella mujer escondía un corazón roto y la firme determinación de no volver a pertenecer a nadie más que a sí misma. Pero Rafferty no estaba dispuesto a aceptar un no por respuesta.

Mentiras piadosas

Nada podría haber preparado a Jay Granger para la visita de dos agentes del FBI... ni para las noticias que le traían. Steve, su ex marido, había sufrido un accidente que lo había dejado gravemente herido y el FBI necesitaba que Jay confirmara su identidad. El hombre que Jay encontró en la cama del hospital era prácticamente irreconocible. Seguramente porque estaba agotada y algo asustada, Jay confirmó que se trataba de Steve Crossfield. Pero cuando se despertó del coma no era para nada como ella recordaba a su ex marido. Además, no guardaba memoria de su vida junto a ella. De pronto nada le resultaba familiar, ni su aspecto, ni su intensa personalidad, ni el deseo que provocaba en ella. ¿Quién era ese hombre? Y... ¿se rompería la pasión que había entre ellos cuando descubriera su verdadera identidad?

Nora Roberts
El triunfo del amor

Un hombre misterioso le había puesto un cuchillo en el cuello durante su primera noche en la playa. Cuando la intrépida Morgan James descubrió que se trataba del millonario Nicholas Gregoras, amenazó con denunciarlo a la policía. Pero, ¿de qué podía acusarlo después de responder a sus besos con una pasión devoradora? Lo único que en realidad le había robado era el corazón.

Había viajado por todo el mundo, pero nunca había visto a una mujer tan hermosa como la que había ido a pasar las vacaciones a casa de sus vecinos. Morgan se había mostrado valiente y juiciosa a pesar de tener un cuchillo en el cuello. ¿Tendría Nick valor para amar a una mujer por la que ya estaba perdiendo la cabeza?

N° 14

¡YA EN TU PUNTO DE VENTA!

HQÑ

el sello digital para los escritores
de novela romántica de habla hispana
te está esperando.
¿Tienes un manuscrito? ¿Has pensado en
escribir una novela? Esta es una
gran oportunidad para enviarnos tu historia.

Requisitos de tu novela:
- Una extensión mínima de 100 páginas
(Times 12, interlineado doble)
- Que sea romántica, no importa la categoría:
contemporánea, histórica, erótica,
suspense, paranormal…

Si tu manuscrito resulta elegido, te ofrecemos:
- Publicación internacional en
formato digital en español.
- Posible publicación en formato papel.
- Realización de una portada exclusiva
para tu manuscrito.
- Apoyo de marketing para
el lanzamiento y difusión de tu libro.

¿A qué estás esperando?
No lo pienses más y envía tu manuscrito a
hqndigital@harpercollinsiberica.com